从 来 精 读 出 人 才

给成长留一份美好的记忆

如果一个孩子在12岁之前没有养成阅读习惯，一生就不会养成良好的阅读习惯。

——中国教育学会副会长、新教育改革发起人 朱永新

励志版名著之所以广受欢迎，一是因为它强调了阅读的本义，代表了素质阅读的高水平；二是因为它的真情实感，显示出一种真诚的力量！

——北大教授、当代文学教研室主任 温儒敏

读书必须读好书，尤其是少年儿童。一篇作品被我们称之为名篇，前提是它已经经受住了漫长时间的考验。它已在时间的风雨中被反复剥蚀过而最终未能泯灭它的亮光。

——北大教授、著名儿童文学作家 曹文轩

在浩如烟海的名著出版物中，励志版名著异军突起，广受欢迎，证明了在市场化的今天质量仍是第一位的。望励志版名著的出版能改变名著出版滥而无序的局面。

——中国当代文学研究会副会长、著名评论家 孟繁华

阅读是一盏明灯，照亮你人生的路。挺起胸膛，抬起头颅，勇敢地面对生活。热爱文学，热爱阅读，热爱书籍，会给你带来终身受用无穷的裨益。

——当代著名作家、中国动物小说大王 沈石溪

好阅读，决定一个人的成长。励志版名著，关注学生的素质成长，符合其开启民智、昌明教育的宗旨，使名著回归人生成长导师的基本功能，是值得肯定的有价值的事情。

——中国出版工作者协会主席、原中国新闻出版总署署长 于友先

阅读让我成为一个心态健康、心灵丰富的人。希望小读者们能用自己的眼睛和自己的心灵去发现一本、十本、上百本、上千本自己真正喜欢的书！

——当代著名儿童文学家 张之路

我们知道，在一个急功近利的时代，在一个浮躁的“浅阅读”环境里，追求精品并要求学生“深阅读”反而是一种奢侈的想法。但是，“领悟性阅读”是人生成长过程中不可或缺的要素。如何用精品名著唤醒天性、唤醒心灵、点燃智慧之灯，同时兼顾学生学习的现实需要呢?

第一个关键词：价值阅读——“成就有价值的人生”

有价值的人生从价值阅读开始。在阅读的重要性与紧迫性已成为共识的情况下，最根本的问题就是读什么和怎么读。为此，励志版名著致力于通过对经典名著的价值解读，培养学生一生受用的品质。

第二个关键词：励志——“本书名言记忆”

一句名言可以影响人的一生。在学生使用的众多名著版本中，唯独励志版名著是以励志为核心理念的。一本好书，必能启迪人心，滋养人的精神。因此，我们专注于传递名著中宝贵的人生经验和成长智慧。

第三个关键词：兴趣——“无障碍阅读”

针对阅读经验较少的学生，励志版名著对难词、引用、人物、好句等进行了无障碍注释，难易程度适中，容易激发学生的阅读兴趣。

第四个关键词：导学——“名师导学3-2-1”

名师门下出高徒。清华附中特级教师杨建宇先生，结合四十年教学经验，倾力把关“名师导学3-2-1”，强调在导学的基础上自主学习，把阅读延伸到书外。

第五个关键词：彩图——“图说名著”

全品系700多幅精美插图，配以言简意赅的文字，达到“图说名著”的生动效果，这对提升学生的阅读兴趣，使其更好地理解每一本名著的意蕴，无疑会有良好的帮助。

第六个关键词：课标——“全课标素质解读”

强调课标与素质阅读的结合，是本丛书明显的特征。各版本语文教材中所选用的名著篇目，都在其中占有一席之地，倡导了“每一本名著都是最好的教科书”的理念。

简言之，我们殚精竭虑，注重每一个细节。因为，一个人物，拥有一段经历；一段故事，反映一个道理；一本好书，可以励志一生。

让名著发挥它人生成长导师的基本功能吧!

励志版名著编委会

新课标必读名著・彩插励志版

Xinkebiao Bidu Mingzhu Caicha Lizhiban

希腊神话故事

[德] 施瓦布 著

海口・南方出版社

如何进行价值阅读

——《希腊神话故事》一书以“木马计”为例进行解读

内容简介

特洛伊城久攻不克，希腊人束手无策。这时，奥德修斯想出了一条“木马计”。一批精兵藏在巨大的木马中，其余人撤到了忒涅多斯岛佯装退兵，而西农自告奋勇地留下来，假装成逃跑者，说服特洛伊人将木马移到城内。特洛伊人对西农的谎言深信不疑，将木马移到特洛伊城，却对即将到来的危险浑然不觉。

价值解读

1.关于善思

战争已持续十年之久，特洛伊城还没有被攻克下来，希腊人殚精竭虑，却找不到能结束这场战争的方法。聪明的奥德修斯善于思考，想出了“木马计”，使希腊军队攻克了特洛伊城，取得了战争最后的胜利。

价值启示：古希腊一位学者曾说：“头脑不是一个要被填满的容器，而是一束需要被点燃的火把。”每个人的头脑中都存放着探索和创造的火种，我们需要用善于思考的精神去点燃它，让思想和思想相碰撞，迸发出智慧的火花。

2.关于勇敢

为了计划的顺利进行，需要一个勇敢无畏的人藏在木马下面，谎称自己是逃跑者，消除特洛伊人的怀疑并让他们主动将木马弄进特洛伊城内。在众人迟疑不决时，西农自告奋勇地承担了这项任务。即使面临着被特洛伊人折磨的危险，他也毫不畏惧，并且出色地完成了任务。

价值启示：勇敢不是一味地逞匹夫之勇，而是迎接挑战时积极乐观的心态，是身处困境中披荆斩棘的气概，是面对风云变幻时顽强不屈的能力。我们心中怀揣着勇敢，便不怕一路上的风雨兼程。

3.关于谨慎

当看到巨大的木马时，特洛伊人没有保持清醒的头脑，轻易相信了西农的谎言。他们拆毁自己的城墙，将藏有敌军的木马拖进特洛伊城，对于预言家卡珊德拉预见到的不幸置若罔闻。在特洛伊人放松警惕、酣然入睡时，希腊军队展开了屠杀。如果特洛伊人小心谨慎地对待木马，那么他们也许不会输得一败涂地。

价值启示：《礼记》有云："举大事必慎其终始。"谨慎不是因为胆小怯懦而畏缩不前，更不是因一时冲动而鲁莽行事，而是在深思熟虑之后谨言慎行，为自己的言行负责。做人上严于律己，做事时谨慎行之，才能减少风险，事半功倍。

图书在版编目(CIP)数据

希腊神话故事 /（德）施瓦布著；高中甫译. —
海口：南方出版社，2018. 10
（新课标必读名著：彩插励志版 / 闻钟主编）
ISBN 978-7-5501-4657-0

Ⅰ. ①希… Ⅱ. ①施… ②高… Ⅲ. ①神话—作品集—古希腊
Ⅳ. ①I545. 73

中国版本图书馆 CIP 数据核字(2018)第 203158 号

希腊神话故事

〔德〕施瓦布 著 高中甫 译

责任编辑：文 静
出版发行：南方出版社
社 址：海南省海口市和平大道 70 号
邮政编码：570208
电 话：(0898)66160822
传 真：(0898)66160830
印 刷：三河市延风印装有限公司
经 销：新华书店
开 本：920×1280 1/16
印 张：15
字 数：163 千字
印 数：1—3000 册
版 次：2018 年 10 月第 1 版 2018 年 12 月第 1 次印刷
定 价：24. 80 元

△ 当阿佛洛狄忒对帕里斯做出许诺时，她站到了他的面前，束着一条赋予她的妩媚以一种极大魅力的腰带。这时另外两位女神在他的眼中就失去了光彩，她们的美丽变得黯然失色。他昏昏然地将从赫拉手中接过来的金色宝物递给了爱情女神。

△ 少女却把父亲推到一旁，说道：“亲爱的父亲，看，我已经来到这儿了！在神坛前，我将献出我的生命。我遵从神谕，为了祖国而成为祭品。我高兴看到你们幸福和带着胜利的果实返回故国。我不需要任何人的搀扶，我要勇敢而自愿地把自己奉献给祭祀的刀刃！”

△ 两位英雄装备停当，穿上铠甲，戴上头盔，手执沉重犀利的投枪，目光逼人地站到特洛伊人和希腊人的中间。终于他俩分离开来，面对面地站在量好的场地里，愤怒地挥动他们手中的长矛。

△ 阿喀琉斯一听到这个噩耗，眼前变得一片漆黑。他用双手抓起黑色的尘土撒向他的头、他的脸和他的衣服。随后他躺倒在地上，可怕地喊叫起来。

△ 这庄重的老人不被察觉地走了进来，奔向阿喀琉斯，抱住他的双膝，吻他的双手——这双手杀死了他多少儿子啊，望着他的脸。

△ 奥德修斯镇静如常，不急不躁，轻轻地拉开门闩，稍许探出头来，窥视四周，看是否有一个特洛伊人在守护。随后他挂下了一个梯子，走了出来。其他英雄随他鱼贯而下，心都紧张得怦怦跳动。他们手执宝剑和长枪冲入城市的街道和房屋，在昏睡和醉酒的特洛伊人中间开始了一场可怕的屠杀。

阅读规划

希腊的神话故事流传至今已有数千年，具有极大的思想价值和艺术魅力。让我们走进本书，听作者将引人入胜的故事娓娓道来吧！

·阅读时间建议

本书共有五卷，五十四小节，建议用三周时间读完，具体建议如下：

你可以每天抽出一小时，阅读三至四小节的内容，用两周的时间完成整本书的阅读。

在第三周，先用两天时间，根据书中给出的批注范例，选择部分章节进行精读。再用两天时间，选取几位自己感兴趣的英雄人物，为他们写人物小传。最后用三天时间，与同学、朋友交流阅读成果，可以试着提炼重要情节，将其改编成舞台剧本，并分角色进行表演。改编时，要注意剧本的书写要素和方法，尤其注意对白的设置，既要忠实于原文，又要展现自己的个性。

·阅读方法指导

《希腊神话故事》一书不仅体现了古人描述世界的热情，还有对世界、人生的哲思。作为一部文学经典，它经历了时间的考验而历久弥新。我们在阅读时，不仅要领悟书中蕴含的哲理，将其运用到自己的日常生活中，还要用时代的精神和视野，为这部经典赋予全新的生命。

为了加深自己的理解，对于书中重要章节，可以用圈点批注的方法进行精读。圈点书中的重点、难点、疑点、精彩之处，以便日后重新思考品读；批注可以用来记录思考的过程，所批注的内容可以是书中的写作手法、主题思想、蕴含哲理的句子等，也可以是自己的疑问或体会。

名师导学3-2-1

3 个阅读要点

◎本书中，神也同人一样具有七情六欲，有着爱美之心、嫉妒之心、进取之心、复仇之心。阅读的时候，注意体会其中蕴含的人本主义思想。

◎在阅读的过程中，注意发现并学习各位英雄人物身上的优秀品质，得到成长启迪。

◎读完全书后，结合特洛伊战争的结局，得出自己对战争的思考。

2 个知识要点

◎神话故事体现了古时候人们对自然和社会的认识，是一种不自觉的艺术加工，充满浓重的传奇色彩和丰富的想象力。

◎本书使用了大量的想象、夸张、比拟的表现手法，使得故事瑰丽神奇，富有魅力，并给人以原始、古朴的美感。

1 个成长要点

◎本书中，很多人在持续十年的特洛伊战争中展现出高尚的品质，为我们树立了榜样。阿伽门农在犯错后勇于向阿喀琉斯道歉，教会我们要善于自省，知错就改；赫克托耳为了妻儿的幸福和国家的安全顽强作战，教会我们要努力拼搏，敢于承担；阿喀琉斯敢于挑战神祇的权威，教会我们要相信自己，勇于挑战……我们在被精彩故事情节吸引的同时，也要善于发现、学习书中人物的优秀品质，使自己成为更好的人。

目 录

CONTENTS

第一卷

导读

希腊与特洛伊的大战一触即发。由于这场战争，奥德修斯离开了年轻的妻子和尚在襁褓中的孩子，无辜的少女伊菲革涅亚要走上祭坛，英雄菲罗克忒忒斯被丢弃在荒无人迹的海岸……而这场战争的起因，竟是一个引起三位女神不和的金苹果。

特洛伊城的建造

远古的时候，在爱琴海上一个名叫萨摩特剌刻的岛上住着两兄弟：伊阿西翁和达耳达诺斯。他们是宙斯（希腊神话中的主神。他威力无边，能随意降祸赐福，并掌管雷电云雨，是诸神和人类的主宰。阿波罗、雅典娜、阿尔忒弥斯等许多神和英雄都是他的子女）和曾勒阿得斯七姊妹之一厄勒克特拉所生的儿子。伊阿西翁自恃是神之子，于是觊觎（jìyú，希望得到〔不应该得到的东西〕）奥林匹斯山上的得墨忒耳女神。为了惩治他的这种胆大妄为，他的亲生父亲用闪电将他击毙。另一个儿子达耳达诺斯因兄弟之死极为悲伤，于是他离开故国家园，越过亚细亚大陆，来到了密西亚海岸。

这儿的统治者是国王透克洛斯，达耳达诺斯受到他友好的接待。他得到了一块土地，娶了国王的女儿为妻，并在山间建立了一片适合人们居住的地方，这个地方根据他的名字就叫达耳达尼亚，而透克里亚人从那时起就被称为达耳达尼亚人。后来这个地方就依他的孙子特洛斯的名字取名为特洛伊斯，它的主要聚居地就叫特洛伊。现在人们把透克里亚人或达耳达尼亚人也称为特洛伊人或特洛尔人。

特洛斯国王的继位人是他的大儿子伊罗斯。有一次伊罗斯去邻国佛律癸亚访问，他被佛律癸亚国王邀请去参加正安排好的一场竞赛，他在角斗中赢得了胜利。他得到五十个少男和五十个少女作为奖赏，此外还有一头色彩斑斓的牛。佛律癸亚国王把牛连同一个古老的神谕一并交给了他，这神谕是，他要在牛躺下的地方建造一座城堡。

伊罗斯跟在牛的后面，牛在国民主要聚居地特洛伊那儿躺了下来，于是他在那儿的一座山丘上建造了城堡——伊利翁。在建造之前，他请求他的祖先宙斯赐以征兆，是否喜欢建造这样一座城堡。翌日他在他的帐篷前面找到了从天上落下来的一幅雅典娜（希腊神话中的智慧女神。她以纺织、缝衣、油漆、雕刻、制作陶器等技艺和战术传授人类。曾与海神波塞冬争夺雅典拥有权，因使大地生出象征和平的橄榄树获胜，遂成为雅典城邦的保护神）女神的圣像。圣像有三肘高，两脚靠拢，右手执一根长矛，左手执纺线竿和纺锤。

这幅圣像的来龙去脉是这样的：根据传说，女神雅典娜一生下来就由海神之子特里同养育。特里同有一个名叫帕拉斯的女儿，和雅典娜同年，是她亲密的伙伴。有一天，这两个少女玩起了战争的游戏，进行了一场面对面的争斗。正当特里同的女儿帕拉斯把矛尖刺向她的伙伴时，为女儿性命感到担忧的宙斯急忙用山羊皮制成的神盾挡住了。帕拉斯为之一惊，她畏惧地仰望上天，而就在这瞬间她受到雅典娜致命的一击。雅典娜感到极度的悲哀，为了永远地怀念她亲密的伙伴，她为她绘制了一幅逼真的肖像，给她用上一副用同样的羊皮制成的胸甲。那胸甲像盾牌一样，它就叫作神盾。雅典娜把这幅像放在宙斯神柱旁边，表示崇高的敬意。她本人此后称自己为帕拉斯·雅典娜。现在宙斯取得他女儿的同意，把这幅神像从天上掷落到伊利翁城堡境内，表明这座城堡和这座城市会得到他和他女儿的庇护。

拉俄墨冬是国王伊罗斯和欧律狄克的儿子，他生性乖僻暴戾(lì)，蒙蔽众神，欺骗国人。他准备把开阔的、还不坚固的特洛伊像城堡一样用墙围起来，使它成为一座真正的城池。那个时候太阳神阿波罗（希腊神话中的太阳神，主神宙斯之子。主管光明、青春、医药、畜牧、音乐、诗歌，并代表宙斯宣告神旨）和海神波塞冬（希腊神话中的海神，宙斯之弟。能呼风唤雨，引起地震）因反抗宙斯而被逐出天庭，他们在下界四处游荡，无家可归。宙斯的意愿是让他们来帮助拉俄墨冬国王建造特洛伊城墙。这样就在城墙刚开始修建时，他们的命运就把他们带到伊利翁的附近。他们从国王那里得到了委托，在报酬上达成了协议，于是开始了工作。

波塞冬直接投入建造工作。在他的领导之下，围墙矗立起来，一道坚不可摧的保卫工事拔地而起。与此同时，阿波罗去伊得山的沟壑（hè）蜿蜒和丛林密布的山谷中放牧国王的牧群。他俩答应用这种方式为国王服务一年。当期限到达、威严的城墙已经建成时，狡诈的拉俄墨冬拒不给他们全部的报酬。阿波罗对他进行严厉的斥责，国王却把他们赶走，威胁说要捆上阿波罗的手脚，还要割下两个神的耳朵。他们极为愤怒地离开，成了特洛伊国王和民众的死敌。一直作为这座城市保护者的雅典娜也弃它而去。现在刚建好高大城墙的这座都城连同它的国王和人民都被弃置，交付诸神去加以蹂躏（róulìn，践踏，比喻用暴力欺压、侮辱、侵害）。

普里阿摩斯　赫卡柏和帕里斯

国王拉俄墨冬的继位人是他的儿子普里阿摩斯。他第二次结婚的妻子是佛律癸亚国王底玛斯的女儿赫卡柏。他俩生的第一个儿子叫赫克托耳。后来，赫卡柏又怀孕了。当她临盆在即时，她在一个漆黑的夜里梦见了一张可怕的脸。她觉得她像是在生出一支烈焰熊熊的火炬，它把特洛伊整个城市烧成一片火海，变成灰烬（赫卡柏的梦，为下文描写特洛伊城的毁灭埋下了伏笔）。她惊恐不安，把这个梦告诉给她的丈夫普里阿摩斯。普里阿摩斯招来他前妻的儿子埃萨科斯。他是一个预言家，从他的外祖父墨洛普斯那里学会了占梦的技艺。埃萨科斯解释说，他的继母将生下一个儿子，这个孩子会给都城带来毁灭。因此他劝告说，要把她怀的这个孩子遗弃。

赫卡柏果真生了一个儿子。由于对国家的爱胜过母子之情，她叫自己的丈夫把刚生下来的孩子送给了一个奴隶，让他抱到伊得山，扔到那里去。这个奴隶叫阿革拉俄斯，他遵照命令这样做了，但一只母熊哺乳了这个孩子。五天之后，那个奴隶发现孩子躺在森林里，健壮活泼。于是他把孩子抱了起来，带回家去，像对待自己的孩子一样养育他，并给这个孩子取名叫帕里斯。

帕里斯在牧人中间成长为一个身强力壮、漂亮英俊的小伙子，他成了伊得山所有牧人的保护者，强盗见了他无不望风而逃。

一天，他来到伊得山中迤逦（yǐlǐ，曲折连绵）蜿蜒的峡谷，这里崎岖难行，草木葱茏；他透过群山之间的空隙向下俯视，看到了特洛伊的宫殿和远方的大海。突然间他听到一个神祇（泛指神。祇，qí）的脚步声，这声音使他周围的大地震颤起来。在他还来不及思索时，众神的使者赫耳墨斯（希腊神话中众神的使者，亡灵的接引神。掌管商业、交通、畜牧、竞技、演说以及欺诈、盗窃）就已手拿黄金神杖，半是借助他的翅膀半是凭借他的双脚站在帕里斯的面前。他只是女神到来的先行使者。奥林匹斯山上的三位女神迈着轻盈的脚步踏过柔软的，从未被践踏过，也从未被啮（niè，咬）食过的草地而来。帕里斯为之一惊，那个带翅膀的使者向他喊道："不要害怕，女神到你这儿来是让你做她们的裁判。她们选中了你，由你来裁定她们当中谁是最美丽的。宙斯命令你来接受这项仲裁任务，他会保护你并给你帮助!"赫耳墨斯说完就张开双翼，飞出峡谷，消逝而去。

赫耳墨斯的这番话使帕里斯鼓起了勇气。他大胆抬起垂下的胆怯目光，去欣赏站在他身旁的三位女神。她们超凡脱俗，美貌绝伦。第一眼就使他想说出，她们每一位都值得称为最美。当他的目光逗留在她们身上越久时，他就越加时而觉得这一位最美，时而觉得另一位更美。可他逐渐地发现其中一位比另外两位更年轻，更温柔，更妩媚，更可爱；他仿佛觉得，从她的眼中放射出的是一面由爱情光华织成的网，把他的目光和额头紧紧地缠了起来。

这时她们中最傲慢的一位——她的身材和威严都胜过其他两位——开始说话了："我是赫拉（希腊神话中的天后，主神宙斯之妻。她掌管婚姻和生育，是妇女的保护神。因宙斯常与世人之女相爱，赫拉在神话故事中被描绘成妒忌女神，并迫害宙斯所爱的女子），宙斯的妻子。这是纷争女神厄里斯在一次婚宴上抛在宾客之中的金苹果，它上面刻着'给最美的人'。如果你答应把它给我，那你——尽管你只是个从王宫中被驱逐出的牧人，也能成为尘世间最富有的王国的统治者。”

“我是帕拉斯·雅典娜，智慧女神，”另一位女神说，她有着纯洁隆起的额头、湛蓝的眸子，美丽的面庞显示出处女的尊严，“如果你承认我是胜利者，那么你将赢得人类中智慧和刚毅的最高荣誉！”

这时，一直只是用眼睛说话的第三位女神朝帕里斯望去，她面带一丝甜蜜的微笑，目光是那样诱人。她说道：“帕里斯，你不要为许诺的赠品所迷惑，它们都充满了危险，而且不会让你取得成功！从我这儿你将得到一件礼物，它绝不会让你不快乐：我要把世上最美丽的女人带到你的怀中，让她成为你的妻子！我是阿佛洛狄忒（希腊神话中爱与美的女神，掌管人类爱情、婚姻和生育以及一切动植物的生长繁殖。生于海中，以美丽著称），爱情女神！”

当阿佛洛狄忒对帕里斯做出许诺时，她站到了他的面前，束着一条赋予她的妩媚以一种极大魅力的腰带。这时另外两位女神在他的眼中就失去了光彩，她们的美丽变得黯然失色。他昏昏然地将从赫拉手中接过来的金色宝物递给了爱情女神。赫拉和雅典娜愤恨地转过身去，发誓要为这种侮辱向他、向他的父亲普里阿摩斯、向特洛伊进行报复并毁灭一切。尤其是赫拉，她从这个时刻起就成了特洛伊人势不两立的敌人。阿佛洛狄忒却用神的誓言庄严地重申对他做出的许诺，随后她离去了。

帕里斯以一个不知名的牧人身份在伊得山高处生活了一段时间。国王普里阿摩斯为一个死去的亲属举办一场竞技比赛，这吸引了帕里斯前去参加，他终于到了他此前从未踏入过的城市。国王从这个伊得山牧人那里牵来一头公牛作为给胜利者的奖赏，恰好这头牛是帕里斯最喜欢的。他不能拒绝他的主人和国王的要求，于是他决定，他要在竞赛中把它夺回来。帕里斯在竞争中取

得了胜利，他战胜了他所有的兄弟，甚至他们中最勇敢强壮、魁梧高大的赫克托耳。国王普里阿摩斯的另一个儿子得伊福玻斯为自己的失败感到极为愤怒和羞耻，他要把这个年轻的牧人击毙。可帕里斯逃到了普里阿摩斯的女儿卡珊德拉那里。卡珊德拉从神那儿学会了预言的技能，立刻就认出了他是她被遗弃的兄弟。于是双亲拥抱帕里斯，重逢的喜悦使他们忘记了他的诞生会带来灾难的预言，他们把他作为他们的儿子接待下来。

帕里斯决定先返回他的牧群，作为国王的儿子，他在伊得山上得到了一处富丽堂皇的住房。不久，国王给了他一项委托。他踏上了旅途，但不知道，迎接他的是爱情女神阿佛洛狄忒许诺给他的奖赏。

海伦的被劫

当国王普里阿摩斯还是一个柔弱的孩子时，赫拉克勒斯杀死了拉俄墨冬，占领了特洛伊，并把普里阿摩斯的姐姐赫西俄涅作为胜利品抢走，转赠给他的朋友忒拉蒙。虽然这位英雄把她作为自己的妻子并使她成为萨剌弥斯的王后，但普里阿摩斯和他的家族仍对这次掠夺耿耿于怀（事情〔多为令人牵挂的或者不愉快的〕在心里，难以排解）。有一次，王宫中又提起了这次劫掠的话题，普里阿摩斯陷入对他远方姐姐的深深思念中。这时帕里斯声称，若是给他一支舰队前往希腊，他认为借助神的帮助，就能用武力从敌人那里把父亲的姐姐抢回来，并光荣地凯旋。他把希望寄托于女神阿佛洛狄忒的帮助，因此他向父亲和兄弟们讲述了他在放牧时遇到的事情。普里阿摩斯本人现在不再怀疑他的儿子帕里斯得到了上天的特别庇护，就是得伊福玻斯也完全相信，若是他的兄弟全副武装地出现在希腊人面前，他们一定会赔罪谢过，并把赫西俄涅交还给他。

在普里阿摩斯众多儿子中，有一个名叫赫勒诺斯的预言家。他突然说出预言，并肯定，若是他的兄弟帕里斯从希腊带回一个女人的话，那希腊人就会前来特洛伊，把这座城市毁灭，把普里阿摩斯的所有儿子都杀死。这个预言在会议上引起了争论。普里阿摩斯和赫卡柏最小的儿子特洛伊罗斯对他哥哥的预言根本不予理睬，并痛斥他的胆怯，他提出不要为战争的威胁所吓倒。其他人显得犹豫不决。普里阿摩斯则支持他的儿子帕里斯，因为他深切思念他的姐姐。

于是国王召开了一次国民大会。在会上，普里阿摩斯声称，他从前派遣过一个使者团在安忒诺耳的率领下前往希腊，要求他们为掠夺他姐姐的行为谢罪并把她交还回来。可那时安忒诺耳屈辱地被赶了回来。但现在他想，若是全体人民同意，就派他自己的儿子帕里斯带领一支雄壮的队伍前往希腊，用武力去取得用善意得不到的东西。为了支持这项提议，安忒诺耳站了起来，愤怒地诉说了他本人作为和平使者在希腊所忍受的侮辱，并描述了希腊人在和平时期的傲慢和在战争中的无能。

他的这番言辞激起了人民狂热的情绪，他们高喊战争。但聪明的国王普里阿摩斯懂得不能草率行事，他要求每一个人说出自己心中对这件事的忧虑。这时特洛伊最年长的一个老人潘托俄斯在集会上站了起来，他讲述了他受过神谕教导的父亲在他还是一个年轻人的时候所听到的事情：若是拉俄墨冬家族中一个国王的儿子从希腊带一个妻子回家，那特洛伊人就面临完全毁灭的危险。“因此，”他结束了他的讲话，“不要让我们为虚幻的战争荣耀所迷惑，朋友们，我们宁愿在和平和安宁中生活，也不要进行战争冒险，并最终丧失自由。”但人民对这个提议不满，他们向他们的国王高喊，不要听取一个老人胆怯的话，要去做他心中已经决定要做的事情。

于是普里阿摩斯下令装备战船并派他的儿子赫克托耳到佛律癸亚，派帕里斯和得伊福玻斯到邻国斐俄尼亚，征集结盟的士兵。他也把特洛伊能拿起武器的男人组织起来准备参加战争，这样不久就聚结起一支强大的军队。国王命令他的儿子帕里斯做统帅，要他的兄弟得伊福玻斯、潘托俄斯的儿子波吕达玛斯和他的亲戚——英雄埃涅阿斯辅佐他。这支强大的舰队向大海进发，朝希腊岛屿库忒拉驶去，他们想先在那儿登陆。中途舰队遇到了斯巴达国王墨涅拉俄斯的船队，他正向皮罗斯进发，去拜访贤明的涅斯托耳。墨涅拉俄斯见到这支壮观的舰队感到非常惊讶，而特洛伊人瞥见这支华美的船队也十分好奇。这支船队装饰得格外富丽堂皇，它显然乘载的是希腊的有名王公。但双方并不认识，每一方都在思索，那一方要驶向何处，这样他们就擦身而过，分道扬镳（分路而行。比喻因目标不同而各奔各的前程或各干各的事。镳，biāo）。

特洛伊舰队顺利地抵达库忒拉岛。帕里斯要从这里向斯巴达进发，并同宙斯的儿子卡斯托耳和波吕丢刻斯进行交涉，以接回赫西俄涅。如果希腊英雄们拒绝交还，那他就遵照父亲的命令，把舰队开向萨剌弥斯，并用武力把赫西俄涅抢回来。

但帕里斯在前往斯巴达之前，他先要在一座供奉阿佛洛狄忒和阿耳忒弥斯的神庙里献上祭品。

这期间岛上的居民将这支强大舰队的出现向斯巴达做了通报，此时斯巴达因国王墨涅拉俄斯不在而由王后海伦主政。海伦是宙斯和勒达所生的一个女儿，是卡斯托耳和波吕丢刻斯的妹妹，是她那个时代的最美的女人。当她还是一个温柔的女孩儿时，就被忒修斯抢走，但又被她的哥哥夺了回来。当她在她的继父斯巴达国王廷达瑞俄斯身边长成个如花似玉的少女时，她的美貌吸引来一大批求婚者。可国王担心，如果他挑选其中一个做女婿的话，那其他所有人就会成为他的敌人。于是希腊众英雄中最聪明的伊塔刻国王奥德修斯给他出了个主意：所有求婚者都盟誓为证，用手中的武器保护被选中的新郎，来反对任何一个因这场婚姻而对国王心怀敌意的人。廷达瑞俄斯接受了这个建议，他让所有求婚者都立下誓言，于是他本人选中阿特柔斯的儿子墨涅拉俄斯做他女儿的丈夫，并把斯巴达这片国土交给他统治。海伦给她的丈夫生了一个女儿赫耳弥俄涅，当帕里斯向希腊进发时，她还躺在摇篮里。

美丽的王后海伦在她丈夫不在期间独自一人在宫殿里百无聊赖（精神无所依托，感到非常无聊）地消磨时光。现在，当她得到通报，说一个异国王子率领一支舰队到达库忒拉岛时，被好奇心驱使，她要去看看这个陌生人和他的武装随从。此前她也曾在库忒拉岛上的阿耳忒弥斯神庙里举行过一次庄重的祭祀。她在踏入庙堂时，正赶上帕里斯献完了他的祭品。当帕里斯一看到王后进来时，他就垂下了祈祷的双手，由于惊愕而茫然无主，因为他认为他又看到了阿佛洛狄忒本人。他早就听到了海伦美貌的传闻，帕里斯一直渴求在斯巴达目睹她的风采。可他认为爱神所许诺给他的女人一定比传闻所描述的海伦要美丽得多；而且他觉得许诺给他的美女是一个处女，而不是另一个人的妻子。但现在，他亲眼看到了斯巴达王后，并把她的美貌与爱神的美貌加以比较。这时他突然明白了，阿佛洛狄忒为他的裁决许诺给他的报酬就只能是这个女人。他父亲的委托，他这次征途的目的，在这一瞬从他的脑海里消逝得无影无踪。他觉得他同他的士兵就是为了劫掠海伦而来。在他因她的美貌而失神伫立的同时，王后海伦也在观察这个英俊的亚细亚国王的儿子：他长着一头长发，身穿金黄色和紫色的东方式华丽服装。她毫不掩饰她的好感，在她的思想中丈夫的容貌黯然失色了，取而代之的是这个异国年轻人英气逼人的形象。

随后海伦返回斯巴达的王宫，她试图从她的心中抹去这个英俊的年轻人的容貌，并希望她那个还一直逗留在皮罗斯的丈夫墨涅拉俄斯回到她的身边。可代替她的希望的却是帕里斯的出现。他带着挑选出的随从到了斯巴达，同他的使者向国王的宫殿走来。虽说国王并不在，但墨涅拉俄斯的妻子殷勤地接待了这位客人，给予他一个国王儿子应有的礼遇。他的琴艺，他的动听的言谈和他的爱情之火搅乱了王后那颗不设防的芳心。当帕里斯看到她心旌飘摇时，他立即忘记了父亲和人民的委托，灵魂里有的只是爱情女神给予他极富诱惑力的许诺了。他把那些武装起来与他一道来斯巴达的随从集合起来，鼓惑他们劫掠财富，用他们的帮助来实现自己的罪恶勾当。随后他冲入王宫，把墨涅拉俄斯的财富掠夺一空，并把半是抗拒半是顺从的美丽的海伦劫往库忒拉岛。

当他携带他的诱人的战利品航行在爱琴海上时，突然风停息下来，舰队前面的海浪裂成两半（环境描写，渲染了紧张、不安的气氛，表明帕里斯的劫掠行为极为不义）。古老的海洋之神涅柔斯从水中露出身来，他头戴芦苇花冠，卷曲的长发和胡须上水滴淋漓，他向舰船喊出他诅咒的预言：“不祥之鸟伴着你们的航程，该死的强盗！希腊人会带着大军追来，他们发誓要消灭你们这群匪徒和普里阿摩斯的古老王国！痛苦啊，我看到多少马匹，看到多少人啊！帕拉斯·雅典娜已经武装起来，穿起了盔甲，拿起了盾牌，点燃了她的愤怒之火！血腥的战争要持续多年，只有一个英雄的愤怒才能阻止你们城市的毁灭。但时日一到，希腊人的大火将吞噬掉特洛伊的全部房屋!”

老人说完了他的预言，再次沉入水中。帕里斯听到后极为恐惧。但当海风再次欢快地吹起来时，他躺在劫来的女人怀抱之中，不久就忘掉了诅咒。整个舰队在克刺奈岛抛锚（把锚投入水中，使船停稳。锚，máo）登陆，在这儿墨涅拉俄斯的水性杨花、轻薄无行的妻子自愿与帕里斯结为夫妇。两个人都把故乡和祖国抛到脑后，用带来的财宝长期地骄奢淫逸，耽于欢乐。多年之后，他们才返回特洛伊。

希 腊 人

帕里斯作为派往斯巴达的使者，犯下的违反客人礼仪的罪恶行为立即产生了严重的后果，激怒了一个最强大的王室家族。斯巴达国王墨涅拉俄斯，他的哥哥密刻奈国王阿伽门农，他们是坦塔罗斯的后裔（已经死去的人的子孙。裔，yì），珀罗普斯的孙子，阿特柔斯的儿子。除了阿耳戈斯和斯巴达，其他大多数伯罗奔尼撒国家也都服从这两个力量强大的兄弟，其余的希腊君主都是他们的盟友。

当墨涅拉俄斯从他在皮罗斯的老朋友涅斯托耳那里听到他的妻子海伦被劫走时，这位义愤填膺（胸中充满义愤。膺，yīng）的国王立即奔向密刻奈——他兄弟阿伽门农那里。阿伽门农与他的妻子克吕泰涅斯特拉——海伦的异父同母的姊妹——是这儿的统治者，他分担了他兄弟的痛苦和仇恨，并安慰他，许诺让海伦的那些求婚者履行他们立下的誓言。两兄弟走遍了整个希腊，要求君主们参加征讨特洛伊的战争。最先一批做出决定的有特勒波勒摩斯，他是洛得斯岛的著名国王，赫拉克勒斯的儿子，他提供了九十艘战船用来讨伐丧心病狂的特洛伊人；有狄俄墨得斯，他是阿耳戈斯的国王，不死的英雄堤丢斯的儿子，他答应提供八十艘战船和最勇敢的伯罗奔尼撒人参加战斗。

这期间整个希腊都行动起来并听从阿特柔斯两个儿子的要求，到最后只有两个有名的国王还迟疑不决。一个是伊塔刻狡狯（狡诈。狯，kuài）的奥德修斯，珀涅罗珀的丈夫；他不愿意为斯巴达国王的不忠妻子而远离自己年轻的妻子和他襁褓中的儿子忒勒玛科斯。因此，当墨涅拉俄斯与他的知心好友帕拉墨得斯前来时，他就装疯卖傻起来。他驾起一牛一驴拉犁，用这么极不匹配的牲口来耕田，他不是把种子而是把盐播撒在垄沟里。他就让那两位英雄这样看到自己，并希望以此避开这次可怕的战争。但帕拉墨得斯能看穿世人的一切花招诡计，在奥德修斯掉转犁头期间，他偷偷地进入王宫，把奥德修斯的幼儿忒勒玛科斯从摇篮里抱来，放在奥德修斯正准备耕犁的地上。这时这位父亲小心地把犁抬过孩子的头，两位英雄喊叫起来，证明他的理智健全。奥德修斯现在无法再拒绝参加这场征讨了，他答应从伊塔刻和邻近岛屿提供给墨涅拉俄斯国王八艘满载士兵的战船。

另一个还没有同意参加的是阿喀琉斯，人们不知道他在何处，他是珀琉斯与海洋女神忒提斯所生的年轻而英俊的儿子。他刚生下来时，他的母亲海洋女神要把他变成一个神，为了不让他的父亲发现，她在夜里把他放到天火中烧炼，以便毁掉他从父亲身上承袭的非神的东西。白天她就用圣膏治愈他烧伤的部位。她每天夜里都这样做，可有一次她丈夫发觉了。当他看到儿子在火焰中发抖时，他喊叫起来。这阻止了忒提斯完成她的工作。她沮丧地离开了没有成为神祇的未成年儿子，不再返回她丈夫的王宫，躲进了海洋女儿们居住的潮湿的汪洋大海中。而认为他的孩子受到致命创伤的珀琉斯把他从地上抱了起来，带到伟大的医生喀戎那里求医。喀戎是一个聪慧的马人，他曾教育出许多英雄。他慈爱地接受了这个孩子，喂养他熊的骨髓和狮子与野猪的肝脏。

当阿喀琉斯九岁的时候，希腊的预言家卡尔卡斯说，远在亚细亚有一座特洛伊城，希腊的武器要把它毁灭，但没有这个孩子的话，他们是无法占领这座城市的。这个预言也传到海底深处他母亲忒提斯那里，她知道这场战争会给她的儿子带来死亡。于是她重新从海洋中升出，偷偷进入她丈夫的宫殿，给儿子穿上女孩子的服装，把他带到斯库洛斯岛吕科墨得斯国王那里，让他在国王的女儿们中间像个少女那样长大。但当这个青年的下颌周围开始长出髭须（胡子。髭，zī）时，他向国王的美丽女儿得伊达弥亚揭示了自己男扮女装的秘密。国王的女儿对他产生了爱慕之情，就在岛上的所有居民把他看作是国王的一个女亲戚期间，他已秘密地成了得伊达弥亚的丈夫。

这个神之子是战胜特洛伊必不可少的英雄，现在预言家卡尔卡斯发现了阿喀琉斯居住的地方，于是奥德修斯和狄俄墨得斯受命去请他参加战争。当这两位英雄抵达斯库洛斯岛时，他俩被引见给国王和他的那些少女。阿喀琉斯隐藏在妩媚少女的面孔后面，尽管两位希腊英雄有着犀利敏锐的目光，可他们依然不能从这群少女中间辨认出阿喀琉斯来。于是奥德修斯想出一个计策。他把一面盾牌和一支长矛放在少女集聚的大厅里，然后吹响了战角，仿佛敌人已经逼近。听到吓人的号角声，所有的女人都逃出大厅，只有阿喀琉斯独自一人伫立不动，他勇敢地拿起长矛和盾牌。现在他被两位希腊英雄认了出来，于是同意率领他的密耳弥多涅斯人或称忒萨利亚人，在他的老师福尼克斯的陪同下，率领五十艘战船加入希腊人的队伍。

阿伽门农被任命为最高统帅，他选择波俄提亚的海港城市奥利斯为所有希腊君主和他们士兵、船队的集合地。

希腊人派往普里阿摩斯的使节

在希腊军队备战的同时，阿伽门农与所有的高级将领一道决定，为了不错过采取和平手段的机会，要向特洛伊国王普里阿摩斯派出一个使团，就希腊人民权利所遭到的伤害和斯巴达王后的被劫提出责难，并要求归还墨涅拉俄斯被夺走的妻子及他的全部财宝。为此他们选出了帕拉墨得斯、奥德修斯和墨涅拉俄斯承担这项使命。尽管奥德修斯在心里把帕拉墨得斯看成是一个死敌，但他为了共同的利益服从这个以理智和经验而在希腊军中受到高度敬重的国王的决断，并同意给予他在国王普里阿摩斯宫廷中作为发言人的荣誉。

特洛伊人和他们的国王对一个使团的到来和一支宏伟壮观的舰队的出现感到极度震惊。他们对事情的原委（事情从头到尾的经过；本末）还一无所知，因为帕里斯同他抢来的妻子还一直逗留在克刺奈岛上，在特洛伊没有人知道他的消息。普里阿摩斯和他的人民认为，帕里斯率领特洛伊军队前去索还赫西俄涅一定是在希腊遇到了抵抗，而现在希腊人来到这儿是在为自己的国家攻击特洛伊人。因此希腊使节抵达城市的消息使他们十分紧张。

特洛伊的城门向这几位陌生人敞了开来，三位英雄立即被带入普里阿摩斯王宫，去会见国王，国王正同他的众多儿子和城市的首领举行一次会议。帕拉墨得斯在国王面前慷慨陈词，并以全希腊人的名义严厉地斥责他的儿子帕里斯由于抢走王后海伦而犯下了违反宾客常理的恶行。随后他指出，这种不义之举会引发对普里阿摩斯的国家进行战争的危险，他列举了一些希腊最强大的国王的名字，他们会同他们的战士和上千艘战船出现在特洛伊的城前，他要求把掠来的王后和平地交还。

“哦，国王，你不知道，”他这样结束了他的讲话，“你儿子所侮辱的是怎样一种人，他们宁愿死也不愿其中任何一个人受到一个异乡人的无理伤害。但他们的希望，是在他们对这种恶行进行复仇时，不是去死，而是去取得胜利。因为他们数量众多，像海边的沙子（运用比喻的修辞手法，生动形象地写出了希腊军队的数量之多），他们充满了英雄气概，为渴求洗雪他们人民所受的屈辱而怒火中烧。为此，我们的最高统帅阿伽门农，强大的阿耳戈君主，希腊的第一位国王，以及与他在一起的所有其他国王，让我来通知你们：交出你们劫走的王后，或者毁灭你们。”

普里阿摩斯的儿子听到这番话怒不可遏（愤怒得不能抑制，形容愤怒到了极点。遏，è），特洛伊的长老们拔出他们的宝剑，击打他们的盾牌，一个个杀气腾腾。但普里阿摩斯国王请他们安静下来，他从宝座站起身来说道：“你们这些异乡人，以你们人民的名义对我们进行了如此严厉的责备。但首先我感到诧异，因为我根本不知道你们为什么来加罪于我们。你们强加于我们的罪名，正是我们要对你们进行谴责的。你们的同胞赫拉克勒斯在和平时期袭击了我们的城市，从我们的城市抢走我无辜的姐姐赫西俄涅，作为俘虏，把她当作女奴送给他的朋友萨刺弥斯的国王忒拉蒙；这个男子心地善良，他把她娶为合法的妻子，而不是当作小妾和女仆。可这并不足以补偿这种不光彩的掠夺，我已经两次派出使节了。这次是由我的儿子帕里斯率队前往你们的国家，索还我那被卑劣地掠去的姐姐，以此至少使我这个白发老人为她而欢欣庆幸。我的儿子帕里斯如何完成我的委托，他做了什么，如今在何处，我都一无所知。在我的王宫里，在我们的城市里，没有一个希腊女人，这一点我十分清楚。因此即使我愿意，我也无法满足你们的要求。如果我的儿子帕里斯像我做父亲所希望的那样顺利地返回特洛伊，并带回一个掠夺来的希腊女人，那我就会把她交还给你们，若是她不请我们把她当作是一个逃亡者加以保护的话。但即使如此也不是没有条件的，此前你们得把我的姐姐赫西俄涅交还给我！”

国王的这一番话得到众人的赞同，但帕拉墨得斯却桀骜不驯（性情倔强、不驯顺。桀骜，jié' ào）地说：“哦，国王，我们的要求是没有条件的。我们尊重你和你所说的话，确信墨涅拉俄斯的妻子还不在你的城里。可我不怀疑，她会来的。你那卑鄙的儿子拐走了她，这是毋庸置疑的。至于在我们的父辈时代，赫拉克勒斯所做的事情不应由我们负责。但现在你的一个儿子对我们造成的严重伤害，我们要向你进行清算。赫西俄涅是自愿跟随忒拉蒙的，她本人甚至派她的一个儿子参加这场摆在你们面前的战争，他就是强大的王子大埃阿斯。但海伦却是违反她本人的意愿被用武力劫持来的。感谢上天吧，由于你们的这个强盗在外乡停留而得到考虑的时间，赶快做出决定，以免大限（指寿数已尽、注定死亡的期限〔迷信〕）一到玉石俱焚（美玉和石头一齐烧毁了，比喻好的和坏的一同毁掉）。”

普里阿摩斯和特洛伊人因使者帕拉墨得斯的傲慢言辞愤怒至极，但他们还是尊重异国使节的权利。会议结束了，特洛伊城一个最年长的老人，贤明的安忒诺耳，埃绪厄忒斯和克勒俄墨斯特拉的儿子，他护送三位异国的使节，使他们免于受到市民们的咒骂，把他们带到自己的家中，用高贵的礼节加以款待。翌日（次日。翌，yì）清晨他把他们送到海岸，他们重新登上豪华的舰船，疾驶而去。

阿伽门农和伊菲革涅亚

在舰船集结在奥利斯期间，阿伽门农用打猎去消磨时间。有一天，他看到一只要献祭给女神阿耳忒弥斯的美丽牝（pìn）鹿，于是猎兴大发，就把这只神圣的动物射杀了，并夸耀说，就是狩猎女神也不能射得这样准确。

女神对这种亵渎（xièdú）行为大为恼火，于是在全部希腊士兵都集聚在奥利斯港湾，舰队要启航出发时，使风停了下来，这样他们就只能无所事事地滞留在奥利斯。一筹莫展的希腊人向他们的预言家卡尔卡斯求助。从前卡尔卡斯就对他的同胞做出过巨大的贡献，现在他是随军的祭司（专职掌管祭神活动的人）和预言家。卡尔卡斯说道："如果希腊人把统帅阿伽门农和克吕泰涅斯特拉所生的可爱女儿伊菲革涅亚献祭给阿耳忒弥斯的话，那女神就会宽恕，风就会刮起，就再也不会有超自然的妨碍来阻止特洛伊的毁灭了。"

阿伽门农无心的一句自夸，却害了自己女儿的性命。

预言家的这番话使希腊统帅十分沮丧。他立即招来希腊传令官斯巴达的塔尔堤比俄斯，并让其在全希腊人面前用响亮的声音宣布，阿伽门农辞去希腊军队的统帅职务，因为他的良知不允许他谋杀自己的孩子。但这项决定的宣布在集合起来的希腊人中激起了狂暴的愤怒。

墨涅拉俄斯听到这可怕的消息立即来到他兄弟的统帅营盘，提醒他这个决定给他带来的后果。如果他墨涅拉俄斯的被夺走的妻子海伦仍留在敌人的手里，会给自己带来什么样的耻辱。他摆出了所有的理由，最终使阿伽门农决定去做杀害女儿这件可怕的事情。阿伽门农向密刻奈——他妻子克吕泰涅斯特拉那里派去一名信使，命令她把女儿伊菲革涅亚送到奥利斯供差遣听用。为了使他的妻子听从这项命令，他找了个借口，说女儿在军队抵达特洛伊海岸之前应该同珀琉斯的年轻儿子，英俊的佛堤俄提斯的王子阿喀琉斯订婚。这时阿喀琉斯与得伊达弥亚秘密结合一事尚不为人所知。

复杂多变的心理活动，表现了身兼父亲和统帅两个身份的阿伽门农内心的纠结。

信使刚一出发，阿伽门农心中的父爱就又占了上风。他为忧愁所折磨，为这个轻率的决定而悔恨。就在当晚他喊来一个年老的亲信，让他送一封写给妻子克吕泰涅斯特拉的信。他在信中告诉妻子，不要把女儿送到奥利斯，他这个做父亲的有了另一个想法，婚期必须推迟到明年春天。

这个忠实的仆人携信急忙上路，但他没有抵达目的地。在黎明前刚一离开大营时，他就被墨涅拉俄斯抓住了。因为墨涅拉俄斯已经看出他兄弟的三心二意，早就密切注意他的一举一动了。墨涅拉俄斯用强制手段搜出了信，读过后就又一次踏进统帅的营盘。

他愤怒地朝阿伽门农喊道："除了这种反复无常，还有更不忠不义的事吗？兄弟，难道你不再记得你是多么渴望这个统帅的荣誉？你对所有希腊的诸王显得多么谦卑？又是怎样与每一个人握起右手？你的大门总是敞开的，每一个人，即使是民众中最底层的也能随意踏入，所有这一切讨好和笼络不都是为了得到统帅的荣誉吗？但是，当你成了统帅，这一切都变了样。你不再像从前那样，与你的老朋友见面了，就是在营盘里也难以找到你，你只是偶尔在军队面前露露面。一个高尚的人不能这样，即使他的朋友们需要他的帮助，他也应对他们始终如一！"

连续运用几个问句，表现了墨涅拉俄斯对阿伽门农当统帅后种种行为的失望和愤慨。

出自兄弟口中的这些责备并不能使阿伽门农的心平静下来。"你看起来是如此的令人害怕，"他回答说，"为什么你的眼睛像在流血？是谁侮辱了你？你失去了什么？是你可爱的妻子海伦？我无法把她重新给你找回来。如果我深思熟虑之后去补救一个过失，我就成了傻瓜？你不是为能摆脱掉一个水性杨花的女人而庆幸，反倒要重新去设法得到她，你这样的行为才是丧失理智的。不，我永远不会做出残害自己亲生骨肉的决定。你最好是自己去惩治你那个伤风败俗的女人。"

两兄弟激烈地争吵起来，就在这时一个使者来到他们面前，向阿伽门农报告说他的女儿

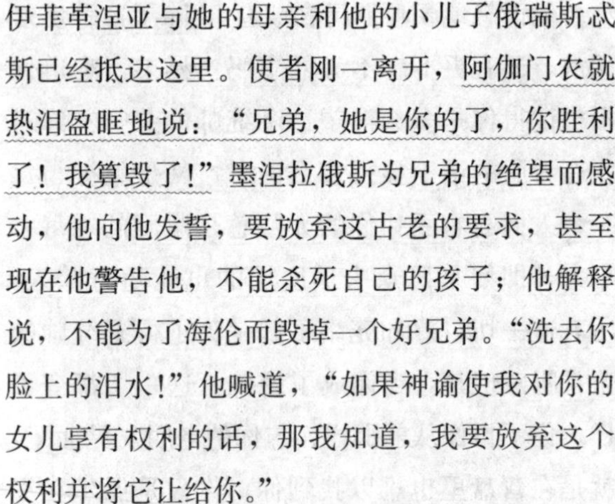

伊菲革涅亚与她的母亲和他的小儿子俄瑞斯忒斯已经抵达这里。使者刚一离开，阿伽门农就热泪盈眶地说：“兄弟，她是你的了，你胜利了！我算毁了！”墨涅拉俄斯为兄弟的绝望而感动，他向他发誓，要放弃这古老的要求，甚至现在他警告他，不能杀死自己的孩子；他解释说，不能为了海伦而毁掉一个好兄弟。“洗去你脸上的泪水！”他喊道，“如果神谕使我对你的女儿享有权利的话，那我知道，我要放弃这个权利并将它让给你。”

流泪的动作和伤心的语言，表现了阿伽门农在得知女儿无法逃脱被献祭命运后绝望、无奈的心情。

阿伽门农投身到兄弟的怀抱，但他仍为女儿的命运忧心忡忡。“我感谢你，亲爱的兄弟，”他说，“你高贵的思想又把我们带到一起。但命运已经对我做出了决定。女儿注定得死，整个希腊要求她的死亡。卡尔卡斯和狡黠的奥德修斯已经达成了默契，他们将得到人民的支持，把你和我谋害，并杀死我的女儿。我们能逃到阿耳戈斯，但相信我，他们会赶来把我们从宫墙里拖出来，将古老的库克罗普斯城夷为平地！因此，我的兄弟，当你进入军营时，务必对我的妻子克吕泰涅斯特拉保持沉默，使她一无所知，直到我们的孩子死于神谕为止！”

女人们的到来打断了兄弟俩的谈话，墨涅拉俄斯忧郁地走开了。

夫妻俩仅略做寒暄（见面时谈天气冷暖之类的应酬话），阿伽门农显得冷峻和窘迫，他的女儿却怀着孩子的信赖拥抱起父亲，并喊道：“哦，父亲，好久没见到你了，现在又见到你，我多么高兴啊！”当她更贴近父亲，望着他那忧郁的眼睛时，关心地问道：“为什么你的目光那么不安？父亲，难道你不高兴见到我吗？”——“亲爱的女儿，不要问了。”他回答说，感到揪心的痛苦，“操心的事情太多了！”——“舒展开你的愁眉，”伊菲革涅亚说，“用可爱的眼睛望望你的女儿！为什么它含着泪水？”——“因为就要长时间地分离。”父亲说。“哦，若是我能跟你一起航行的话，”伊菲革涅亚喊道，“那我该多么幸福呀！”——“呶（náo），你会踏上一次航程的，”阿伽门农严肃地说，“但此前我们还得进行祭祀。亲爱的女儿，这次祭祀是少不了你的！”

女儿对父亲无条件的信赖、见到父亲后高兴的心情、对父亲的关怀和体贴，都让阿伽门农更加痛苦和自责。

说最后一句话时他已热泪盈眶，随即他把满面狐疑的女儿打发到为她准备好的帐篷，那里有她的一些侍女。阿伽门农得继续在他的妻子面前编造谎言，王后不断好奇地询问起她想象中的新郎的家世和财产。他支吾几句，随即摆脱开妻子，去到预言家卡尔卡斯那里，与他商议这无法避免的祭祀的一些细节。

“满面狐疑”的神态描写，可见天真可爱的伊菲革涅亚对自己将成为祭品这件事一无所知。

这期间，一个不祥的突发事件使克吕泰涅斯特拉与年轻的阿喀琉斯在大营里聚在一起。她把他当作是未来的女婿，热情地表示欢迎。但阿喀琉斯却惊愕地向后退去。“你在说什么婚礼，王后？”他说，“我从未向你的女儿求过婚，你的丈夫阿伽门农也从未向我谈起过结婚的事情！”现在克吕泰涅斯特拉开始清楚了这个谜团，她在阿喀琉斯面前羞愧难当。阿喀琉斯却怀着年轻人的热情，慷慨陈词：“你不必担忧，王后，就是有人欺骗你，你也不要怕。放心吧，如果我的惊愕伤害了你，那请你原谅我。”正当他示意作别，要去寻找统帅时，阿伽门农的一个仆人进入帐篷，他带着满脸惶恐的表情朝两个说话的人跑来。他是阿伽门农和克吕泰涅斯特拉的那个忠实的奴仆，墨涅拉俄斯就是从他身上搜出了阿伽门农写给妻子的信的。他轻轻地说，几乎是屏住呼吸：“听我说，相信你忠实的仆人说的话。阿伽门农要亲手杀死你的女儿！”这个浑身颤抖的母亲从忠实的奴仆嘴里知道了这个秘密。

“扑”“抱”“喊”三个动作，表现了克吕泰涅斯特拉焦急、无助的心情。

克吕泰涅斯特拉扑在年轻的阿喀琉斯脚下，像一个寻求保护的人抱着他的双膝，她喊道：“我跪在你面前的尘土里，我不为此感到羞耻。我，一个普通的女人，在神的后裔面前，母亲的义务使任何骄傲都变得软弱无力！你，女神之子，请从绝望中拯救我和我的女儿！在所有神的面前，在你的神祇母亲面前，我祈求你现在救救她。你看，我没有可以前去逃避的神坛，只有你的双膝！你听到了阿伽门农要做怎样残忍的事；你看到了，我，一个无助的女人，在一支残暴的军队中是如何的孤苦无依！张开你的双臂，保护我们，我们就能得救！”

阿喀琉斯敬畏地把跪在他面前的王后从地上扶了起来，并说道：“放心吧，王后！我是在一个虔诚的、乐于助人的家庭里长大的，在喀戎的炉边学到了朴实的、纯贞的思想。如果阿特柔斯的儿子们领我走向光荣之路，那我乐于服从他们，但我不会服从卑鄙的命令。因此我要保护你的女儿，尽我一个年轻人的双臂所能做到的，她一度被称为是我未来的妻子，我绝不让她被她的父亲杀死。如果这个捏造出来的婚姻置这个孩子于死地，我觉得我也不是无罪的；如果我允许你的丈夫借用我的名义来杀害他自己的女儿，那我就成了这支军队中最最胆小的坏蛋，成了一个罪犯。”

阿喀琉斯的话，表现了他负责任、有担当的品质。

“高贵的、富有同情心的王子，这真的是你的意愿？”克吕泰涅斯特拉喜出望外地喊道，“或者你还在期待我的女儿作为一个求助者来环抱你的双膝？这虽然不是一个少女所应做的，但如果你喜欢的话，那她会庄重地来到你的面前，像一个高贵的人一样。”

“不，”阿喀琉斯回答她说，“不要把你的女儿带到我的面前，这样我们就不会招人怀疑和引起流言蜚语。但请你相信我，我绝不食言。如果我不能救你的女儿，那么我宁愿自己去死。”珀琉斯的儿子做了这样的保证，随后离开

语言描写，将阿喀琉斯心思细腻、信守承诺的形象刻画得入木三分。

了伊菲革涅亚的母亲。克吕泰涅斯特拉现在怀着无法掩饰的憎恶来到她丈夫阿伽门农的面前。他还不知道他的妻子已经知道了全部秘密，于是用语义双关（一种修辞方式，用词造句时表面上是一个意思，而暗中隐藏着另一个意思）的话朝她喊道：“现在把女儿从帐篷里喊出来，把她交给父亲，因为面粉和水，以及婚宴前要死在刀下的祭品都已准备妥当。”

“做得好啊！”克吕泰涅斯特拉喊了起来，她的眼睛在熠熠闪光，“哦，女儿，你自己从我们的帐篷里出来，你会完全明白你父亲的用意，你也把你的小弟弟俄瑞斯忒斯带出来！”当女儿出现时，她继续说道：“看吧，你这做父亲的，她站在这儿供你派上用场，让我先向你说一句话——直截了当地告诉我，你要杀死我的也是你的女儿？”

动作描写，既表现出阿伽门农对妻子已经得知真相感到诧异，又表现了因未能保护女儿而感到内疚和痛苦的心情。

统帅长时间伫立不动，一声不响，终于他绝望地喊了起来：“哦，我的命运，我罪恶的灵魂！我的秘密泄露了，一切都完了！”

“听我说，”克吕泰涅斯特拉继续说，“我要把我心里的所有话都对你说出来。我们的婚姻是从一桩罪行开始的。你用暴力把我抢来，杀害了我从前的丈夫，把我的孩子从我的怀中夺走并杀死了他。我的兄弟卡斯托耳和波吕丢刻斯率领大队士兵驱马追赶你，是我年老的父亲廷达瑞俄斯救了你这个乞求活命的人，并使你又成了我的丈夫。你本人可以证实，我在这桩婚姻中没有任何可指责之处，我使你在家中得到快乐，在外边感到骄傲。我为你生了三个女儿和一个儿子，现在你要夺走我们最大的孩子。当人们问你为什么时，你会回答：这样墨涅拉俄斯就能重新夺取他那不贞的妻子！

“哦，众神做证，不要逼我凶狠地去反对你，也不要这样凶狠地反对我！你要杀死你的女儿？你去祭祀时要怎样去祈祷？在女儿被杀害时你要去祈求什么？祈求像你现在离开家一样的一个不幸的归程？或者我应当为你祈福？若是我这样做了，那我就是把神也变成了凶手！为什么你自己的女儿一定得成为牺牲品？为什么你不去对希腊人说‘如果你们要舰队抵达特洛伊城下，那你们就抓阄好了，看谁的女儿该死’？为什么我，你忠实的妻子要失去自己的女儿？而他，就是为自己进行战争的那个墨涅拉俄斯，他的女儿赫耳弥俄涅却无忧无虑地活着？他那不忠的妻子也知道这个孩子安全地在斯巴达受到照顾！回答我，我说的话有哪一句不对？如果我讲的都是实话，那就不要杀死我的，也是你的女儿，不要这样做，你想想吧！”

克吕泰涅斯特拉的话是何等讽刺！想必就算是众神也无法给她一个正确答案。

现在伊菲革涅亚也跪在她父亲的脚下，用哽咽的声音说道：“如果我有俄耳甫斯以感动崖石的魔力声音，哦，父亲，那我就要用动听的话来乞求你的怜悯。但现在我唯一有的就是泪水。父亲，不要过早地毁掉我！光明是多么可爱啊，不要逼我去看黑夜里隐藏的东西！想想我是一个孩子时在你的胸怀中你所给予我的爱抚！我还记得你所讲的话，当你返回家看到我长得如花似玉时，你说，你多么希望将我嫁给一个高贵的男人。但你现在把这一切都忘了，你要杀死我！哦，不要这样做，我在母亲面前求你，她在生我时就遭受了痛苦，而现在为了我，她遭受着更大的痛苦。海伦和帕里斯与我有什么相干？为什么我一定得死，因为他来过希腊？”

用比喻的修辞手法，生动形象地写出了阿伽门农的意志坚定、冷酷无情。

但阿伽门农主意已定。他站在那里像岩石一样无情，他说：“在我可以同情时，我会同情，因为我爱我的孩子。哦，妻子，做这件可怕的事情令我心情十分沉重，但我必须这样做。你们看，我统率的是怎样一支舰队，有那么多的英雄身披甲胄（zhòu）环立在我的四周。他们都无法前去特洛伊。孩子，遵照预言家的神谕，如果我不牺牲你，就不能占领特洛伊。在这儿我的权力有一个界限，我不是顺从我的兄弟墨涅拉俄斯，而是听命于整个希腊。我如果抗拒神谕，那他们就会杀死你们，也杀死我。”

看似无情的阿伽门农，其实心里充满了作为统帅的无奈和作为父亲的不舍。

阿伽门农不再听其他辩白，起身而去，把这两个悲哀的女人留在他的帐篷里。这时突然响起了兵器的撞击声。“是阿喀琉斯！”克吕泰涅斯特拉欢喜地叫了起来。伊菲革涅亚在这个假造出来的新郎面前极其羞赧（因害臊而红了脸的样子。赧，nǎn），她来不及回避。这时阿喀琉斯匆忙地进入帐篷，由几个手持兵器的人伴随着。“不幸的克吕泰涅斯特拉，”他喊道，“整个军营骚乱起来，他们要求你女儿去死。我去阻止这种喊叫，自己差点儿被他们用石头打死。”——“那你的士兵呢？”克吕泰涅斯特拉屏住呼吸问道。“就是他们首先叛乱的，”阿喀琉斯继续说道，“他们骂我是个害相思病的饶舌者（唠叨、多嘴的人）。我带这些忠实的亲兵来这里保护你们，对抗向这儿逼近的奥德修斯。姑娘，你贴近你的母亲，我用我的肉体来掩护你们，我要看看，他们是不是敢于攻击我这个决定特洛伊命运的一个女神的儿子。”这最后一句话，露出了一线希望之光，使那个母亲松了口气。

屏住呼吸的动作，表现了克吕泰涅斯特拉此刻万分紧张的心情。

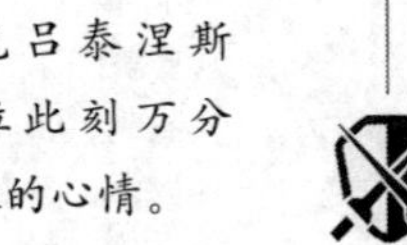

但现在伊菲革涅亚挣脱开母亲的双臂，昂起头来，迈着果断的脚步，面向王后和阿喀琉斯。“听我讲！”她的声音没有一丝畏惧，“亲爱的母亲，你激怒你的丈夫是没有用的。他无法抗拒这必然发生的事。这个陌生人的热情值得尊敬和赞美，但他必然要为此付出代价，而你也将受到侮辱。因此听从我已经考虑好了的决定。我决定去死。我要从我自由的胸中驱除每一种低下的情感，我要自己去完成献祭。现在美丽的希腊国土上的每一双眼睛都在望着我，舰队的航行和特洛伊的陷落都系于我，希腊女

面临即将被献祭的遭遇，伊菲革涅亚不但沉着冷静、顽强勇敢，而且处处为他人着想。

人的尊严都决定于我。我将用我的死来维护这一切。我的名字将赢得荣誉，我将成为希腊的解救者。如果女神阿耳忒弥斯为我的祖国要求我的生命，那我，一个普通的女人，应当抗拒她吗？不，我自愿献身，牺牲我，毁灭特洛伊，这便是我的纪念碑，是我的婚礼盛宴。”

在她说这番话的同时，她像一个女神，目光炯炯地站在母亲和这个年轻人的面前。这时阿喀琉斯跪在她的面前喊道：“阿伽门农的孩子！如果你能成为我的新娘，那众神就使我成了最幸福的人。我为你而妒羡希腊，为了你所属于的希腊而妒羡你。对你的爱和对你的渴慕使我不能自持。你，美丽高贵的人，我看到了你的内心。好好考虑考虑！死亡是一件可怕的事，我愿意救助你，秘密地带你走，去生活，去得到幸福！”伊菲革涅亚微笑着回答他说：“我亲爱的朋友，由于海伦，女人的美已经引起了男人之间的战争和屠杀。你不要为一个女人去死，也不要为我去杀死某个人。不，若是我能够的话，那就让我来拯救希腊！”

伊菲革涅亚的高尚无私与海伦的自私自利形成鲜明的对比。外表美丽不是值得骄傲的事情，心灵美丽才是。

“高贵的灵魂，”阿喀琉斯喊道，“做你想做的事，但我要手拿武器奔向神坛，去阻止你的死亡。”于是他离开了少女，伊菲革涅亚随即怀着拯救祖国的神圣思想迎向死亡走去。她的母亲在帐篷里倒在地上，无法随同她前往。

这期间整个希腊军队都在奥利斯城郊，女

神阿耳忒弥斯的长满鲜花的圣苑中集聚在一起。神坛已经备妥，站在它旁边的是预言家和祭司卡尔卡斯。当人们看到伊菲革涅亚在她忠实女仆的陪同下踏入圣苑，向阿伽门农走去时，军队中响起一阵惊异和同情的呼声。阿伽门农大声地叹了口气，背过脸去，强忍住泪水。少女却把父亲推到一旁，说道："亲爱的父亲，看，我已经来到这儿了！在神坛前，我将献出我的生命。我遵从神谕，为了祖国而成为祭品。我高兴看到你们幸福和带着胜利的果实返回故国。我不需要任何人的搀扶，我要勇敢而自愿地把自己奉献给祭祀的刀刃！"

动作描写，直接写出了阿伽门农的悲伤和无奈。

一阵响亮的惊异声传遍整个军队，随后传令使塔尔堤比俄斯请求安静和祈祷。预言家卡尔卡斯从刀鞘里抽出一把锃光发亮的战刀，把它放在神坛前的一个金色匣子里。现在阿喀琉斯身披甲胄，手执宝剑走到圣神前。但少女的一道目光就改变了他的决心。他把宝剑掷到地上，用圣水泼洒神坛，捧起金色匣子，绕着神坛走动，像一个祭司似的说道："哦，高贵的阿耳忒弥斯女神，请接受这个神圣的自愿的牺牲，阿伽门农和希腊军队现在把她献祭给你。让我们的舰船一帆风顺，让特洛伊倒在我们的长矛之下！"

阿特柔斯的两个儿子和整个军队都默默地垂下头来。祭司卡尔卡斯拿起他的钢刀，念着

祷词，抓住少女的喉咙，目不转睛。人们清楚地听到挥刀的声音。然而，奇迹发生了，就在这一瞬间，少女从全军的眼中消失了。阿耳忒弥斯生了怜悯之心，一只高大而漂亮的牝鹿在地上挣扎着，随即神坛溅满了祭品的鲜血。“希腊联军的首领们，”卡尔卡斯从惊喜中恢复过来，他喊道，“你们看吧，这只牝鹿是女神阿耳忒弥斯送来的，它比少女更受到她的欢迎，少女的高贵的血不该溅在神坛上。女神同我们和解了，能让我们的舰船顺利地航行了，并应允我们去征服特洛伊。奋勇前进吧，伙伴们，今天我们就能离开奥利斯港湾！”当祭品被焚烧，最后一丝火光熄灭时，人们从圣苑中爆发出响亮的欢呼声，各自奔回自己的帐篷。

伊菲革涅亚为了国家甘愿自我牺牲的精神感动了阿耳忒弥斯。

当阿伽门农从祭祀仪式返回时，他的妻子克吕泰涅斯特拉已经不在了。她忠实的仆人已在他之前跑回来，把她女儿得救的消息告诉给瘫倒在地的女主人，把她扶了起来。怀着一种骤然而至和旋即离去的感激和欢喜的情感，恢复了镇静的王后向上帝举起了双手，极为痛苦地喊道：“我的孩子被抢走了！他是让我失去做母亲的欢乐的凶手！我们走，我的眼睛不要看到这杀害孩子的罪犯！”仆人跑去安排车辆，召集随从。当阿伽门农返回他的帐篷时，他的妻子早已走在驶往密刻奈的路上了。

感激和欢喜的情感因女儿免于死亡骤然而至，又因女儿消失不见旋即离去。

希腊人启航和菲罗克忒忒斯的被弃

就在当天，希腊舰队驶入大海，经过短暂的航行，他们在克律塞小岛登陆，以便补充饮水。在这儿来自墨里波的波阿斯国王的儿子、赫拉克勒斯的战友——菲罗克忒忒斯发现了一个废弃的神坛，这是从前阿耳戈船上的英雄伊阿宋在航海中为祭祀女神帕拉斯·雅典娜而修建的。这位虔诚的英雄对自己的发现十分高兴，并要为这位希腊人的保护神在这座被遗弃的神坛上献上牺牲(古代为祭祀而宰杀的牲畜)。这时一条毒蛇蹿到这个走近的人身边，并在英雄的脚上咬了一口。他倒了下来，被抬回到船上，舰队继续航行。但中毒的伤口越来越大，使菲罗克忒忒斯疼痛难忍，他的同船伙伴无法忍受长时间伤口散发出的恶臭和他不断发出的痛苦号叫。他们连做祭祀和祈祷时都不能得到安静，他恐怖的叫喊声搅乱了一切。

终于阿特柔斯的儿子和诡计多端的奥德修斯聚在一起进行商议，因为这位受伤英雄的伙伴们所传播的不安情绪已经在全军扩散开来，他们害怕菲罗克忒忒斯会给全军在到达特洛伊前就带来瘟疫，他的无休止的痛苦叫喊会使希腊人的生活备受磨难。因此军队的首领做出残忍的决定，当他们途经楞诺斯岛荒无人迹的海岸时，就把这位可怜的英雄遗弃在这里。可他们没有考虑到，他们失去这个勇敢的人同时也就失去了他无人可敌的弓箭(为下文奥德修斯和涅俄普托勒摩斯为了得到神箭，前来寻找菲罗克忒忒斯埋下伏笔)。

狡黠的奥德修斯承担了去完成这项阴谋的任务。他背起昏睡的英雄，用一艘小船把他带到海岸边附近的一个岩洞里，给他留下衣服和大量的食品，足够他生活一年时间之用。这艘船在岸边停留很短时间，只够安顿这个不幸的人；奥德修斯返回小船后，就立即启程，不久就与大队舰船会合。

希腊人到达密西亚　忒勒福斯

希腊舰队现在顺利地抵达小亚细亚海岸。但英雄们对这个地带一点儿都不熟悉，先是一阵顺风把他们吹到远离特洛伊南面的密西亚海岸，所有的船只都在这儿下锚。海边有武装人员守卫，他们以当地统治者的名义，声称在禀报国王之前不许登陆，不管是什么人。但密西亚国王本人是一个希腊人，他的名字叫忒勒福斯，是赫拉克勒斯和奥革的儿子，经过奇妙的遭遇之后在密西亚的国王透特剌斯那里遇到了他的母亲，并娶了国王的女儿阿尔癸俄珀为妻。在国王死了之后，他就成了密西亚的国王。

希腊人没有问谁是这儿的国王，也没有对守卫的士兵做出回答，他们就拿起了武器，登陆上岸，发起了进攻；只有少数人得以逃脱并向国王忒勒福斯报告说，有许多不知名的敌人侵入国土，杀死守兵，占领了海岸。国王急忙召集军队，去抵御异乡人。他本人就是一个出色的英雄，不愧是赫拉克勒斯的儿子，他也用希腊军队的方法来训练他的士兵。因此希腊人遇到了他们意想不到的抵抗，爆发了一场血腥的、杀得难解难分的战斗，展开了一场英雄与英雄的较量。

在这场战斗中，希腊人中著名的俄狄浦斯的孙子、波吕尼刻斯的儿子忒耳珊得耳冲在前面，他杀死了忒勒福斯国王最亲爱的朋友和第一勇士。为此国王怒发冲冠，于是在俄狄浦斯的孙子和赫拉克勒斯的儿子之间展开了一场你死我活的决斗。结果是赫拉克勒斯的后代得胜，忒耳珊得耳倒在了地上，他被一根长矛刺穿。他的朋友狄俄墨得斯从远处看到了这个场面，于是痛苦地大声叫了起来，赶在忒勒福斯国王扑向忒耳珊得耳的尸体，剥掉其装备之前奔跑过来，把朋友的尸体扛在肩上，飞快地从杀得天昏地暗的战场中逃了回来。他背负死者经过大埃阿斯和阿喀琉斯的面前，这激起了他们痛苦而狂暴的愤怒。他们集合起溃散的士兵，把他们分成两部分，并通过改变攻击方向而扭转了战局。

希腊人现在又占了上风，当忒勒福斯的异母兄弟透特然提俄斯被大埃阿斯击中，忒勒福斯前来救助倒地的兄弟时，却被一片葡萄藤绊倒在地。阿喀琉斯不失时机，就在忒勒福斯站起来的时候，投掷出一根长矛穿透了他的左腰。但忒勒福斯依然站了起来，拔了长矛，在他的士兵的保护下，逃了出来。

若不是黑夜来临和双方都需要退出战场休息的话，那这场战斗还会长时间持续下去。翌日双方互派使者，要求暂时休战，以便搜寻死者并把他们埋葬。现在希腊人才惊讶地获悉，在此英勇地捍卫自己领土的国王是他们的同乡，是他们伟大的半神赫拉克勒斯之子；忒勒福斯痛苦地知道了他手上沾满的是他的同胞之血。

事实表明，在希腊军队中有忒勒福斯的三个亲戚：赫拉克勒斯的一个儿子特勒波勒摩斯，赫拉克勒斯的孙子、国王忒萨罗斯的儿子菲狄波斯，以及安提福斯。这三个人在密西亚使者的陪同下出现在他们的兄弟和叔叔的面前，他们向他做了更详细的说明：登上他的海岸的都是哪些人，他们来密西亚是为了什么。国王忒勒福斯亲切地接待了他的亲戚，并倾听他们所说的一切。现在他知道了，帕里斯用他的恶行侮辱了整个希腊，墨涅拉俄斯与他的兄弟阿伽门农和所有的希腊联军前去讨伐特洛伊。为此，国王的可爱的异母兄弟特勒波勒摩斯——他是其他两人的代言人——说道："亲爱的兄弟和同胞，你不要离开你的人民，我们亲爱的父亲赫拉克勒斯在世界的每一处都为人民而战，整个希腊为他对祖国之爱建造了无数的纪念碑。把你的军队与我们的军队联合起来，作为我们的同盟者一齐去征讨特洛伊人，以此来医治你一个希腊人给希腊人留下的创伤。”

忒勒福斯费力地从他的位置上立起身来，友好地做出了回答。“你们的责备是不公平的，亲爱的同胞。你们从朋友和血亲而变成我的凶狠的敌人，这是你们自己的过错。难道我的海岸守卫士兵没有按照我的严格命令询问你们的姓名和来处吗？他们并不是以一种野蛮的方式而是用希腊人的礼节对待你们。但你们却认为对野蛮人怎么做都是对的，你们登陆上岸，不对他们的询问给予回答，不听他们的劝告，就杀死我的下属；就是给我，”说到这里，他指了指他的伤口，“也留下一个纪念，这使我毕生都会想起我们昨天的相逢。可我并不对你们心怀怨恨，而是高兴地在我的国家接待了亲戚和希腊人，这代价还不够高吗？

“你们听着，我对你们的要求不得不说的话：我不会去参加反对普里阿摩斯的战争。我的第二个妻子阿斯堤俄刻是他的女儿；再说他本人是一位令人尊敬的老人，他的那些儿子都是高尚的人。他们与轻薄的帕里斯所犯下的罪行毫无关系。你们看，坐在那儿的我的孩子欧律皮罗斯！我怎么能伤他的心，去帮助你们毁灭他的外祖父的国家！正如我不能去伤害普里阿摩斯一样，我也绝不去反对你们，我的同胞。收下我的礼物，拿去你们所需要的食品。然后你们走吧，在神的名义下去进行一场我无法进行调解的战斗。”

三位英雄带着国王的善意回答满意地回到了希腊大营，向阿伽门农和其他人报告了他们以希腊人的名义与忒勒福斯所建立的友谊。随后他们准备继续他们的航行。

帕里斯的归来

尽管特洛伊人对一支巨大的希腊舰队的出发还一无所知，但自希腊使节离开后，在这座城市里还是引起了对即将来临的战争的恐慌和惧怕。这期间，帕里斯携着他掠来的海伦、大量的战利品和整个舰队返回了特洛伊。国王普里阿摩斯看到这个不请自来的儿媳进入他的宫殿并不高兴。他立即召集他众多的儿子举行会议。可他们都收到了帕里斯送的珍贵宝物，他的那些尚未结婚的兄弟都得到了海伦带来的出身高贵的女人为妻，这样他们就变得昏昏然，再加上他们中许多人年轻气盛，喜欢争强斗狠，于是会议做出决定，把这个异乡女人置于王家的保护之下，不向希腊人交出。

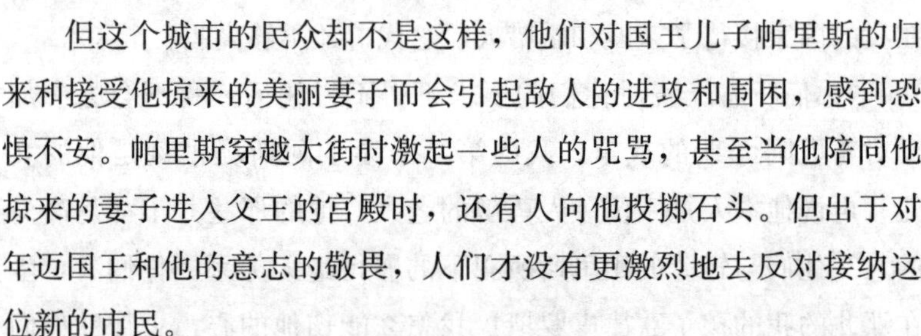

但这个城市的民众却不是这样，他们对国王儿子帕里斯的归来和接受他掠来的美丽妻子而会引起敌人的进攻和围困，感到恐惧不安。帕里斯穿越大街时激起一些人的咒骂，甚至当他陪同他掠来的妻子进入父王的宫殿时，还有人向他投掷石头。但出于对年迈国王和他的意志的敬畏，人们才没有更激烈地去反对接纳这位新的市民。

在会议做出了不驱逐海伦的决定之后，国王派他自己的妻子去她那里，以证实她确实是自愿随同帕里斯来到特洛伊的。海伦声言，从她的出身来说，她就像属于希腊人一样，也属于特洛伊人；因为达那俄斯和阿革诺耳是她的祖先，他们也是特洛伊国王家族的祖先，她虽然不是自愿而是被劫持来的，可她现在由于深深爱上她的新丈夫而自愿成为他的人。在发生这一切之后，她无法从她从前的丈夫和她的人民那里得到宽恕；如果她被交回去，等待她的只能是耻辱和死亡。

她声泪俱下，匍匐（púfú）在王后赫卡柏的脚前，王后充满爱意地扶起这个乞求保护的女人，并告诉她国王和他的儿子们做出的保护她的决定。

希腊人兵临特洛伊城下

这样海伦就安全地生活在特洛伊的王宫，随后她同帕里斯移入自己的宫殿。民众不久也喜欢她的美丽绰约和希腊式的妩媚可爱，就是当外国人的舰队真的出现在特洛伊海岸时，城市的居民也不像此前那样惶惶不安了。他们在计算他们有多少市民，有多少同盟者；他们发现他们的英雄和战士在数量上和力量上都胜过希腊人。于是他们希望在众神的保佑下能够防止他们的城市遭到围困并能很快击退敌人。

虽然他们的国王普里阿摩斯已是一个无法再去战斗的老人，但是他的五十个儿子，其中十九个是他的妻子王后赫卡柏所生，有些年轻气盛，有些血气方刚。军队已经做好战斗准备，国王的儿子赫克托耳出任最高统帅，与他一道执掌大权的是统治特洛伊人的埃涅阿斯，他是国王的女婿。其他一些重要人物都统领另外一些部队，部分人是特洛伊人的同盟者。

这期间希腊人也登陆了，他们沿着海岸建营扎寨，把船只拖上陆地，列成阵势，密匝匝连成一片，并在船的下面垫上石头，以便通风，避免潮湿受损。排在陆上的第一列是大埃阿斯和阿喀琉斯的船队，他们建造了他们的营盘。阿喀琉斯的大营看起来几乎像是有规有矩的住宅，有食品库，有为战马和家畜准备的厩圈和料房。在他的船只旁边是竞赛、殡葬和其他节庆用的场地，紧挨着大埃阿斯的是普罗忒西拉俄斯的船队，随后是另外一批忒萨利亚人、克瑞忒人、雅典人、福喀斯人、玻俄提亚人、阿喀琉斯和他的密耳弥多涅斯人。集结的士兵把他们的船只一共布成四列，最后一列是狄俄墨得斯、奥德修斯和阿伽门农。

在奥德修斯营前是“阿戈剌”，即用来举行会议和进行商谈的空地，这儿建有神坛。整个用船只围成的大营像是一座城市，由许多大街和小巷分割开来，主路连通四个队列。营房都是用泥土和木头建成的，上面铺有芦苇。每个头领都把他的大营放在他的军队的最前一排，而每一个营房都按居住者的不同等级饰有不同的标记。船只同时用来保卫整个大营，希腊人还在这些船只前面用泥土堆成一道围墙，直到包围的最后时刻才垒成一道城墙。在这后面是一道壕沟，前面栽着密密麻麻的木桩。

因为特洛伊国王和议会一直在讨论保卫的最有效方法，花了很多时间，所以希腊人得以顺利地完成了他们的一系列布置。希腊的士兵在值班看守舰船的同时，能得到食品，至于其余的生活用品则由每个人自行解决。普通的士兵用轻武器徒步作战，身份高贵的站在战车上进行战斗，这样每一个乘车作战的人都有一个驭手。在那个古老的时代，各个民族对骑兵还一无所知。载有大英雄的战车都被安排在最前一列去战斗，进行冲锋陷阵。在希腊人的船营和特洛伊城之间的空地，由斯卡曼德洛斯河和西摩伊斯河包围起来，繁花似锦的斯卡曼德洛斯草地和特洛伊平原极为宽阔，徒步要走上四个小时，它成为一个天然的战场，在它后面是突兀而起的壮丽城市特洛伊城。它的高楼、雉堞（zhìdié，古代在城墙上面修筑的矮而短的墙，守城的人可借以掩护自己）和塔楼巍然屹立。

成长启示

故事中，为了避免儿子卷入战争，忒提斯将阿喀琉斯男扮女装，让他像少女一样长大；为了女儿免于献祭，克吕泰涅斯特拉放下王后的尊严，卑微地跪倒在阿喀琉斯脚下寻求帮助。与生俱来的母爱使她们忘记自己，把孩子的幸福和平安摆在首位。生活中，妈妈总是竭尽全力地给我们最好的爱与关怀。还未长大的我们，也许不能帮妈妈分担工作中的烦恼，但是可以多听妈妈的话，多握妈妈的手，多吃妈妈做的菜，努力让妈妈知道，我们也是如此爱她。

要点思考

1. 希腊军队为什么要攻打特洛伊？
2. 在得知自己要被献祭后，伊菲革涅亚有怎样的表现？

写作积累

●耿耿于怀　犹豫不决　百无聊赖　无影无踪　黯然失色
英气逼人　义愤填膺　丧心病狂　一无所知　慷慨陈词
怒火中烧　怒不可遏　玉石俱焚　一筹莫展　三心二意
热泪盈眶　忧心忡忡　孤苦无依　乐于助人　喜出望外
流言蜚语　直截了当　无忧无虑　如花似玉　目不转睛
诡计多端　怒发冲冠　天昏地暗　声泪俱下　繁花似锦

●不要让我们为虚幻的战争荣耀所迷惑，朋友们，我们宁愿在和平和安宁中生活，也不要进行战争冒险，并最终丧失自由。

●母亲的义务使任何骄傲都变得软弱无力！

第二卷

导读

战争持续到第十个年头时发展成人神共战的局面，无数的英雄献出了生命。希腊的三位使节对特洛伊人进行演讲，特洛伊人虽对使节的话表示赞同，但是他们只能听从国王的命令。骁勇善战的阿喀琉斯见到阿伽门农自私的一面后，愤怒地退出了战争。帕里斯和墨涅拉俄斯开始了正面对决，战局变得扑朔迷离。

战斗的爆发　普洛忒西拉俄斯　库克诺斯

希腊人还在备战时，特洛伊的城门突然打开，特洛伊全副武装的士兵在赫克托耳的率领下冲向斯卡曼德洛斯平原，攻击毫无准备的希腊人的船队，他们没有遇到抵抗。船营最外一列，他们首先拿起武器分散开来向逼近的敌人还击，但是寡不敌众，败退下来；可这次战斗却赢得了时间，使军营中的希腊人集结起来，能列成阵势向敌人进攻。随后开始的战斗极不平衡，凡是赫克托耳本人所到之处，特洛伊人就占了上风，可在离他远处的战斗中，希腊人则取得了优势。

终于阿喀琉斯同他的士兵出现在战场上了。他那勇猛的攻击所向披靡（比喻力量所到之处，一切障碍全被扫除），连赫克托耳本人也阻挡不住（运用衬托的手法，用作战勇猛的赫克托耳衬托阿喀琉斯，突出阿喀琉斯的英勇顽强、所向披靡）。他杀死了普里阿摩斯的两个儿子。国王从城墙上看到他的孩子的死悲痛地叫了起来。与阿喀琉斯并肩作战的是大埃阿斯，他的高大身躯在其他希腊人中显得十分突出。在这两位英雄面前，特洛伊人避之唯恐不及，他们像鹿群遇到猎犬一样望风而逃（运用比喻的修辞手法，生动形象地写出特洛伊人对两位英雄的畏惧，突出了两位英雄作战的英勇）。到最后，所有的敌人都被击退了，特洛伊人又紧紧关上城门。希腊人再次安心地回到他们的舰船旁，继续去建造他们的营房。阿喀琉斯和大埃阿斯被阿伽门农指派去看护舰船，而他们又安排另外一些英雄去守护舰队的部分船只。

特洛伊附近的科罗奈是国王库克诺斯统治的地方，他是一个仙女和海神波塞冬所生的儿子，在忒涅多斯岛上由一只天鹅抚养成人，因此他得到库克诺斯的名字，意思是天鹅。他与特洛伊人结盟。普里阿摩斯还没有向他提出什么要求，他就把援助他的朋友看作自己应尽的义务。于是他在自己的国家里集聚起一支数量可观的队伍，埋伏在希腊船营的附近；当希腊人从第一场与特洛伊人的战斗中凯旋而归并为他们第一个战死的英雄普洛忒西拉俄斯举行葬礼时，他们刚隐蔽好。就在希腊人毫无准备，手无寸铁地集结在焚烧场周围时，他们突然发现被战车和士兵包围了起来，他们还来不及思索，库克诺斯同他的军队就已经开始对他们进行一场血腥的屠杀了。

好在只有一部分希腊人参加了这场葬礼。其余在船旁和在营房的人拿起手边的武器，跑来救助他们的伙伴，阿喀琉斯率领他们冲在前面，很快他们就全副武装，队伍整齐地迎向敌人。阿喀琉斯站在战车上，令人恐惧地环顾四周，他的致人死命的长矛时而刺死这一个，时而刺死那一个科罗奈人。这时他从远处的厮杀中看到了库克诺斯。库克诺斯也站在一辆高大的战车上，他的刺杀凶狠有力，所到之处，左右两边的希腊人纷纷败退。阿喀琉斯掉转他的白马，当他与库克诺斯面对面时，他喊道："不管你是谁，年轻人！你是死得其所，因为你遇到的是女神忒提斯的儿子！"说罢就把长矛掷向他，准确地击中了他，可长矛却从敌人的胸上滑落下来，没有造成任何伤害。

"女神的儿子，你不感到奇怪吗?"库克诺斯微笑着朝他喊道，"令你惊讶的不是我的头盔，也不是我左手执的盾牌保护我的身体不受攻击。我佩戴这些保护装备只是作为装饰品，就像战神阿瑞斯（希腊神话中的战神，宙斯与赫拉之子。凶暴蛮横，但在战斗中常遭挫败）有时为了开心取乐而拿起武器一样，他肯定不需要用这些装备来保护他的神的躯体。就算我把全部甲胄都卸了下来，你也不能用你的长矛刺伤我的皮肤。知道吗?我的全身几乎像一块铁，也就是说，我不仅仅是一个海洋仙女的儿子，我是统治者涅柔斯和他的女神以及所有海洋的海神的亲爱的儿子。告诉你吧，站在你面前的是波塞冬本人的儿子!"说完这番话他就把他的长矛向阿喀琉斯投去并刺穿了他的盾牌的隆起部。但阿喀琉斯抖落了他盾牌上的长矛并把他的长矛向海神的儿子投去。可敌人的身体没有受到丝毫伤害，甚至第三次击中也依然不起作用。

现在阿喀琉斯勃然大怒。他又一次把用白杨木削成的投枪掷向库克诺斯，也真的击中了他的左肩，他大声欢呼起来，因为库克诺斯肩部鲜血淋淋。但他空欢喜了一场，这血不是海神之子的血，而是站在库克诺斯身边的墨诺忒斯溅出的血，他被另一个人击中了。现在阿喀琉斯恨得咬牙切齿，他从战车上跳下，抽出宝剑奔向敌人，狠狠砍去。然而就连宝剑也从钢铁般的身体上弹落。这时绝望的阿喀琉斯举起十层厚的盾牌击向毫发无损的敌人，用盾牌中间的凸起部猛击他的额头，三次、四次……库克诺斯两眼昏黑，他要转身后退，可是被一块石头绊倒。随后阿喀琉斯用手抓住他的背，把他完全摔倒在地上，用盾牌和膝盖压住他的胸膛，用自己头盔上的皮带紧紧勒住他的喉咙。

科罗奈人看到他们的国王倒地，当即丧失了勇气。他们狼狈地逃离战场，不久战场上别无所见，看到的只是尸体狼藉，血水汩流；许多希腊人和科罗奈人在这场突然袭击中战死。

这场战斗的结果是希腊人侵入了战死的国王库克诺斯的国土，从它的都城门托剌掳走许多孩子作为战利品。随后他们进攻毗邻的喀剌城，占领了这座坚固的城市，满载大量的战利品返回他们警卫森严的船营。

帕拉墨得斯之死

在希腊军队中，帕拉墨得斯是有远见的人，他聪明、能干、正直、坚定、英俊，擅长唱歌弹琴。他的能言善辩使希腊的大多数英雄参加了这次远征特洛伊的战争，他的智慧胜过了拉厄耳忒斯的儿子奥德修斯。但因此他也成了奥德修斯日日夜夜都在想方设法加以报复的一个势不两立的敌人；帕拉墨得斯在诸王中间的声望越盛，奥德修斯的仇恨就越深。现在阿波罗给希腊人一个神谕，他们应当在建有他的神柱和神庙的地方献上百牲大祭。帕拉墨得斯被阿波罗选中去把这批大量的祭品带往圣地。阿波罗的祭司克律塞斯在那儿等候着完成这次庄严的祭礼。

帕拉墨得斯通过阿波罗的这次安排赢得了荣誉，然而这却加速了他的死亡。因为奥德修斯现在完全为嫉妒所左右了，他想出了一条诡计，以便毁掉这个高贵的人。他亲手极为秘密地在帕拉墨得斯的营帐中埋了一大笔黄金，然后以普里阿摩斯国王的名义给这位希腊英雄写了一封信，在信中谈及送来的黄金和感谢帕拉墨得斯泄露给他的希腊军队的机密。奥德修斯让这封信落入来自佛律癸亚的一个奴隶手里，然后再把这个奴隶抓住，搜出这封信，而这个无辜的奴隶当场被打死。

奥德修斯在希腊军营的诸王会议上出示了这封信，帕拉墨得斯被送上军事法庭。这个法庭由阿伽门农指定的一些最显赫的国王组成，而奥德修斯知道自己肯定会成为法庭的首席。根据他的提议，法庭搜查了被指控人的营帐，于是找到了狡黠的奥德修斯埋藏在那里的黄金。法官们不去追查事情的真相，就一致赞同执行死刑判决。帕拉墨得斯不为自己做任何辩解。他已经看穿了这个阴谋，但他没法儿为他的无辜和他的对手所指控的罪行做出辩护。当执行石刑——用石头打死时，他只是喊道："哦，你们希腊人，你们打死的是最有才学的、最无辜的、最擅长唱歌的夜莺!"

糊涂的诸王都对这种辩解大加嘲笑，把这位最高贵的人推到希腊士兵中间去受死，他以一种英雄般的坚定去忍受一种最无情的死亡。当第一批石头把他砸倒在地时，他喊道："真理啊，你为死在我的前面而高兴吧!"他刚说完了这句话，奥德修斯就把一块石头击向他的额头，帕拉墨得斯垂下头死了。但正义女神从天上看到了这一切，于是决定对希腊人，尤其是诱骗他们犯罪的奥德修斯在他们达到目的后加以惩罚。

阿喀琉斯和大埃阿斯的战功

有关随后几年的特洛伊战争，传说上根本没有细谈。由于特洛伊人要保存他们的力量，很少进行出击，这样希腊人就把他们的军力用于进攻周围地区。阿喀琉斯用他的舰队接连不断地毁灭和掠夺了十二座城市。在一次征讨密西亚的战斗中，他俘获了祭司克律塞斯的美丽女儿克律塞伊斯。在占领吕耳涅索斯时他袭击了国王布里修斯的王宫，国王在绝望中自缢（上吊自杀。缢，yì）而死。国王的可爱的女儿布里塞伊斯落入阿喀琉斯手中，他把她当作自己宠爱的战利品带回希腊军营。勒斯玻斯岛和密西亚的忒拜城也都被他征服。

统治忒拜城的是国王普里阿摩斯的亲家厄厄提翁，他的女儿安德洛玛刻嫁给了特洛伊最勇敢的英雄赫克托耳，他的七个风华正茂的儿子还生活在王宫里。阿喀琉斯攻破了这座城池，杀死了国王和他的七个儿子。当国王高贵而令人敬畏的尸体摆放在这位英雄的面前时，恐惧和惊骇攫（jué，抓）住了他，他不敢去拿走死者的武器作为自己光荣的战利品。于是他将全副武装的尸体焚烧，举行隆重的葬礼并在榆树浓荫中间为国王建起一座高大的纪念碑，它此后长时间成为这个地带的一处名胜。阿喀琉斯把国王的妻子，安德洛玛刻的母亲掳走为奴，可不久他得到一笔很大的赎金来交换她的自由。她返回故乡后，狩猎女神阿耳忒弥斯发出一支箭将她射杀于纺车旁。

在希腊人中间能与阿喀琉斯相提并论的是最勇敢最伟大的英雄，忒拉蒙的儿子大埃阿斯。他带领他的舰队驶向特剌刻半岛，波吕墨斯托耳的王宫就坐落在那里。特洛伊国王普里阿摩斯把他的小儿子波吕多洛斯送到波吕墨斯托耳这里，以避免战争的殃及，为此给了他大量的金钱和珠宝作为报答。但是，当大埃阿斯进攻波吕墨斯托耳的国家，包围了他的王宫时，这个不忠不义的野蛮人竟然用这批财富和孩子来求和。波吕墨斯托耳背叛了国王普里阿摩斯的友谊，诅咒他并把从他那里收到用来抚养孩子的金钱和粮食分给了希腊士兵；而交给大埃阿斯的则是普里阿摩斯送来的华丽的珠宝和可怜的孩子。

大埃阿斯带着他的战利品不是立即返回希腊船营，而是把他的舰队驶向佛律癸亚海岸。在那里他进攻透特剌斯的王国，在战斗中他杀死了国王并掠走他的女儿，将美丽的忒克墨萨作为自己的战利品。这个少女品格高尚，身材优美，不久他就因其高贵和妩媚而爱上她了。他待她像一个妻子，若不是希腊风俗不允许娶一个野蛮人为妻，他早就与她正式结婚了。

阿喀琉斯和大埃阿斯大奏凯歌，满载而归，他们同时返回特洛伊城前的希腊船营。所有达那俄斯人都唱起赞颂的歌曲迎接他们，不久他们就被大批战士包围起来。人们把英雄围在中间，在欢呼声中把橄榄花冠放在他们头上，庆贺他们的胜利。随后英雄们举行会议，对他们带来的战利品——它们被希腊人视为共同的财产——做出一个决定。那些被掠来的女人也被带到希腊人面前，所有的希腊人都对她们的美丽惊奇不已。国王布里修斯的妩媚的女儿布里塞伊斯理所应当归于阿喀琉斯，而英雄大埃阿斯占有少女忒克墨萨也得到认可。此外阿喀琉斯还被允许保留布里塞伊斯的女伴，美丽的少女狄俄墨得亚，因为她不愿意与国王的女儿分离。为了尊敬作为国王的阿伽门农，也得到了阿喀琉斯的同意，他得到了祭司克律塞斯的女儿。另外一些战利品——俘虏和财富也都分配给希腊军队中的每个战士。

随后，在奥德修斯和狄俄墨得斯的要求下，大埃阿斯从他的船上把从波吕墨斯托耳国王那里掠来的财宝卸了下来，国王阿伽门农从中得到大部分的黄金和白银。

波吕多洛斯

最后英雄们就战利品的最贵重部分——国王普里阿摩斯的儿子波吕多洛斯的命运进行商议，在简短的讨论之后一致同意：决定由奥德修斯和狄俄墨得斯作为使节前去会见国王普里阿摩斯，只要海伦被交还给希腊人，那就将波吕多洛斯送还给国王。海伦的丈夫墨涅拉俄斯作为第三位使节陪同两位英雄一道前往，于是三人带着波吕多洛斯一同上路。他们作为神圣的使节受到了人民权利的保护，特洛伊人毫无异议地让他们进入城内。

当使节已来到特洛伊的市集广场，墨涅拉俄斯向拥在他们周围的人群发表演讲时，普里阿摩斯和他的儿子对城里发生的事情还一无所知。墨涅拉俄斯用悲愤的言辞控告了帕里斯对人民权利的卑劣践踏，犯下抢走了他的妻子——他最神圣最珍贵的财富的罪行。他讲得如此雄辩有力和令人感动，使环立在四周的特洛伊人——其中有城市的长老们——都为之动容和流下泪水，认为他是对的。

当奥德修斯看到特洛伊人的激动情绪时，他也开始讲话，他说："特洛伊的长老们和其他居民们，我愿意让你们知道，希腊是一个绝不轻举妄动的民族。他们从他们先人那里就学到了，凡事深思熟虑，都是为了赢得赞扬而不是遭到唾骂。你们也都知道，你们国王的儿子帕里斯通过抢掠海伦而使我们受到了闻所未闻的侮辱，在我们拿起武器起来反对你们之前，为了善意地解决这件事情，我们向你们派出了使节，直到交涉失败之后才选择战争，而这还是由于你们的一次偷袭才开始的。

“即便是现在，在你们知道我们的力量，你们周围的属地或与你们结盟的城市都已变为废墟之后，这次战争的和平结局仍然掌握在你们手里，在你们特洛伊人手里！如果你们把从我们那里抢去的归还给我们，我们就立即拆掉我们的营房。当然我们也不是空手而来，我们给你们国王带来了一个他非常喜爱的宝贝，这比那个隐藏在你们这座城市给他也给你们带来诅咒的外国女人要宝贵得多。我们带给他的是波吕多洛斯王子——他最小和最亲爱的儿子，是我们的英雄大埃阿斯在特剌刻从国王波吕墨斯托耳那里抢来的。孩子就被绑在这里，站在你们面前，他的自由和他的生命取决于你们，取决于他的父亲的决定。把海伦交还给我们，你们今天就把她交到我们手中，那孩子立刻就能得到自由，回到他父亲的宫殿。如果你们拒绝交出海伦，那你们的城市就会毁灭，并且此前你们国王就必定看到他一生所不愿看到的一切！”

当奥德修斯讲完话后，会聚在他周围的特洛伊人一片寂静，鸦雀无声。终于最年长最聪明的安忒诺耳说道：“亲爱的希腊人，你们曾是我们的客人！你们向我们说的一切，我们都知道并且在我们心中认为你们是对的；可我们缺少意志去改正这件事。我们生活在一个国王的命令就是一切的国家里。我们国家的法律，我们从先辈那里继承下来的信仰和我们人民的良知不允许我们哪一个人去反对他。只有国王向我们征询意见时，我们才可以对公众事务说出我们的看法；即使我们说了，他也依然能随心所欲。但为了使你们知道人民中最优秀的人对这件事情的看法，我们人民中的长者将召集会议，在你们面前表明他们的意见。这是我们所能做的，我们的国王不能拒绝我们。”

事情也就这样做了。安忒诺耳召开了一个长老会议，并把使节带来参加。他本人主持会议并逐个询问他们对帕里斯残暴不仁的看法。特洛伊城最受尊敬的人一个接一个地说，他们认为这是一件该受诅咒的恶行；只有安提玛科斯——一个好战而阴险的人，在为掠夺海伦一事进行辩护。帕里斯贿赂给他大量的财富，只要一有机会，他就支持帕里斯，反对交出海伦。这次他也这样做，为达到目的不遗余力，背着英雄们他竟然提出卑鄙的建议：杀死希腊使节，这三位最勇敢最聪明的英雄。但特洛伊人厌恶地拒绝了这个主意；可他又提出，至少要把这几个使节抓起来，直到他们不用赎金和交换就把普里阿摩斯被俘的儿子波吕多洛斯交出来。但这个主意被谴责为不守信义之举，由于安提玛科斯不停地，甚至在会议上公开地对使节恶语相加，于是他被他的同胞连哄带骂地撵出了会场。

安提玛科斯愤恨地跑到王宫，向国王通告了希腊使节抵达的信息。于是国王和他的儿子举行了会议，时间很长，意见不一；国王十分信赖的一个长老，高贵的潘托俄斯也被请来开会。他面向国王众多儿子中最勇敢、最正直、最有道义感的赫克托耳，恳切地祈求他听从特洛伊长老们的劝告，交出那个引发这次战争的不祥的女人。他说："帕里斯已经享有他抢来的女人多年了，为他的欢乐付出了代价！现在与我们结盟的全部城市都已毁灭，他们的灭亡预示了我们自己的命运。此外，希腊人又抓住了你们的小弟弟，如果我们不把海伦交还给希腊人，我们不知道他会落得什么样的下场！"

赫克托耳一想起他兄弟帕里斯的恶行，就羞得满脸通红，难过得落泪。可他听从国王的意见，不赞成交出海伦。他回答潘托俄斯说："她是向我们请求保护的人。我们把她当作这样一个人才接纳她的，否则我们早就把她逐出王宫大门之外了。我们不但接纳了她，还给她和帕里斯建造了一座华丽的宫殿，多年来他们奢华和快乐地住在里面，你们大家对此沉默，于是看到了这场战争！为什么你们现在才要驱逐她?”

“我们没有沉默，”潘托俄斯回答说，“我的良心是清白的。我把我父亲的预言通知了你们，对你们提出了警告。我现在第二次警告你们。不管怎样，即使你们不听从我的忠告，我也会与你们一道保卫城市，保卫国王!”说完这番话，他便离开了国王儿子们的会议。

他们根据赫克托耳的建议做出决定，虽然不交出海伦，但是为随同海伦被掠夺来的一切做出补偿和赔罪。代替被抢来的海伦，墨涅拉俄斯可以与普里阿摩斯国王的一个女儿——聪明的卡珊德拉或者与正是豆蔻年华（指女子十三四岁的年纪）的波吕克塞娜结婚，并带有一大笔丰厚嫁妆。希腊使节被带到国王及其儿子们面前，当他们听到这个建议时，墨涅拉俄斯恼怒起来，他说：“真的，我这样做算什么呀！我选择的妻子被抢走这么多年，到最终却要敌人给我找一个妻子！留下你们野蛮人的女儿吧，把我年轻时娶的女人还给我!”

国王的女婿——英雄埃涅阿斯站了起来，这时墨涅拉俄斯带着轻蔑的嘲笑刚说完最后一句话，埃涅阿斯粗暴地朝他喊道：“若是由我和所有那些热爱帕里斯以及保护这个古老王室荣誉的人来决定，可怜的家伙，你既得不到卡珊德拉也得不到波吕克塞娜！普里阿摩斯的王国还有它的保卫者！即使普里阿摩斯失去了波吕多洛斯这个孩子，他也不会因此而没有孩子的！难道希腊人从我们这里收到去抢夺女人的一封特权证书吗？够了！如果你们不立即同你们的舰队一道离开，那你们就会知道特洛伊人的厉害！我们还有足够的骁勇善战的青年，我们强大的同盟者每天都会从远方赶来，即使附近弱小的盟国已被你们击败！”

埃涅阿斯的讲话在诸王会议上赢得了热烈的喝彩，希腊使节只有借助赫克托耳的保护才免于受到粗暴的对待。他们强忍愤怒带着他们的俘虏波吕多洛斯——国王普里阿摩斯只能从远处看到他——离开了这里，返回希腊人的船营。当他们把在特洛伊的遭遇、安提玛科斯的污言秽语、埃涅阿斯及普里阿摩斯儿子们——赫克托耳除外——的傲慢无礼等消息传播开来时，军队中的人们聚集起来，所有的人带着狂暴的表情，高喊复仇。

他们没有去征询诸王的意见，在一次士兵会议上就做出了决定，让这个不幸的孩子为他的哥哥们和他的父亲所犯下的过失付出代价，并当即付诸实行。这个可怜的孩子被带到特洛伊城前的空地上，普里阿摩斯国王和他的儿子们为城外士兵的喧闹声所吸引，他们登上了城墙。不久就从城墙上传来了一声悲惨的叫声，然后他们亲眼看到了奥德修斯曾威胁对孩子所使用的处决。石块从四面八方掷向他光秃秃的脑袋和毫无遮拦的身体。在无数的石块下，孩子可怜而悲惨地死去。希腊人允许将砸得稀烂的尸体交还给乞求的父亲去加以厚葬。国王的仆人来到现场，含着眼泪痛苦地哀号着把孩子的尸体装到送殡的车上，送到那悲恸（tòng）的父亲面前。

克律塞斯　阿波罗和阿喀琉斯的愤怒

战争的第十个年头就在这样一些事件中开始了，希腊英雄大埃阿斯进行了多次征战。波吕多洛斯之死在两个民族之间引发起比此前更为强烈的仇恨，甚至上界诸神也加入了这场战争。赫拉、雅典娜、赫耳墨斯、波塞冬和赫淮斯托斯（希腊神话中的火神。掌管火、火山、冶炼技术和神奇手艺。能建筑神殿，制作各种武器和金属用品，被视为工匠的始祖。因天生瘸腿，面貌丑陋，遭其母天后赫拉厌恶，逐至人间，他从此不愿回去。后被酒神灌醉，才送回天上）站在希腊人一边，而站在另一边的是阿瑞斯和阿佛洛狄忒。这样，对围困特洛伊城的第十个年头，即最后的一年的叙述和吟咏要比其他几年多上十倍。现在开始唱起的是阿喀琉斯的愤怒和这位最伟大英雄的怨恨带给希腊人的灾难之歌。

阿喀琉斯的愤怒是由下面的事情引发的：希腊人在他们的使节返回来之后没有忘记特洛伊人的威胁，他们在自己的兵营里准备决定性的战斗；这时阿波罗的祭司克律塞斯带着大量的赎金到希腊人的船营来赎还他的女儿。他站在整个军营前面乞求说："阿特柔斯的儿子们，在场的希腊人，如果你们收取这笔丰厚的赎金，把我的女儿交还给我，那众神会帮助你们毁灭特洛伊，让你们顺利地返回家园！"

整个军队都对他的话鼓掌欢迎，提出收下他的丰厚的赎金，满足这令人尊敬的祭司的请求。只有阿伽门农感到非常恼火，他说道："老家伙，你不要再靠近我们的舰船了，不论是现在还是将来。你的女儿现在是，将来也是我的女仆，她将坐在我的王宫的纺织车旁终其一生！你走吧，不要惹我发火，快，好好回到你的故乡去！"

克律塞斯惊恐不已，他服从了，默默地走到海边。但在那儿他向阿波罗举起双手，向他祈求："听我说，阿波罗神，你这克律塞、喀拉和忒涅多斯的统治者！当我装饰你的神庙令你高兴欣喜，为你送上挑选出来的祭品时，你就用你的神箭来惩罚希腊人吧！"

他大声地祈祷，阿波罗答应了他的请求。阿波罗满怀愤怒地离开了奥林匹斯圣山，肩上背着弓和装满利箭的箭袋。他像阴沉的黑夜来到下界，随后他坐在离希腊船营稍远的地方，箭箭连发，他的银色的弓发出了可怖的响声（通过写弓箭发出可怖的响声，侧面表现了阿波罗愤怒的心情）。谁中了这看不见的箭矢，谁就会立即死于瘟疫。他开始只是射杀军营中的驴和狗，但不久后他开始射杀人，于是人一个接一个地倒了下来，不久焚烧尸体的火场不停地燃烧起来。在希腊军营，这场瘟疫已经肆虐九天了。在第十天，阿喀琉斯召开了一次会议，他讲了话并建议去问军队中的一个高级祭司、预言家或释梦人，通过什么样的祭品才能平息阿波罗的愤怒并消除这场灾难。

这时预言家卡尔卡斯站了起来说道："不是不遵守誓言或祭品的缘故，神才发怒。是因为阿伽门农恶待他的祭司，神才动了肝火；如果不把女儿无偿地交还给父亲，并且让他带百姓的祭品回克律塞斯去，那阿波罗是不会撤回使我们毁灭的手的。只有用这种方式我们才会重新赢得神的恩宠。"

阿伽门农国王听到预言家这番话后怒火中烧。他的两眼冒出火花，目光咄咄逼人（神态描写，直接写出了阿伽门农愤怒的心情），他开始说道："不幸的预言家，你还从来没有说过一句使我中意的话，现在你还鼓惑人民，说什么阿波罗给我们送来瘟疫，是因为我拒绝了克律塞斯为女儿送来的赎金。说真的，我喜欢把她留在我的家里，因为我爱她胜过我年轻时娶的妻子克吕泰涅斯特拉，她的身材、容貌、精神和技艺都不比我妻子差！即使如此，但与其看到我的人民的毁灭，我宁愿把她交出来。但是我要求另外一件赠品作为失去她的补偿！"

在他之后阿喀琉斯讲话了。"我不知道，光荣的阿特柔斯的儿子，”他说，“你向希腊人要求的是什么样的赠品。可哪儿还有什么公共的财富？从那些被占领城市抢回的战利品早就分配光了，而一些分配给个人的不能再要回来！因此要释放祭司的女儿！如果宙斯保佑我们占领特洛伊，我们会给你三倍、四倍的补偿！”——“勇敢的英雄，”阿伽门农国王朝他喊道，“不要想骗我！你保有你的战利品，而我却要服从你的命令把我得到的交出来？不，如果希腊人不给我补偿，那我就从你们的战利品中取走一件，不管是属于大埃阿斯的还是奥德修斯的抑或是你阿喀琉斯的，不管你们怎么发火，我都不在乎。但这事以后再说。现在去准备船只！祭司的女儿想要你来送她，阿喀琉斯，来指挥这艘船！”

阿喀琉斯阴沉地回答说：“无耻的人，自私的国王！有哪一个希腊人还愿意服从你！特洛伊人并没有伤害过我，我之所以跟随你，是为了替你的兄弟墨涅拉俄斯复仇。你看不到这点，甚至要夺走我的战利品。这是我用我的血汗夺来的，是希腊人赠送给我的！在占领每一座城市之后，我得到过像你得到的那样宝贵的战利品吗？我的双臂经常承受的是战斗中最艰难的重担，但当分配虏获的东西时，你常常领到最好的，我战斗得精疲力竭返回船营后，得到的却是很少一部分！现在我要回佛提亚老家。看看吧，没有我，你的财富还能增加多少！”

“去吧，随你的便，”阿伽门农朝他喊道，“没有你，我也有足够的英雄，你是一个惹是生非的人！你要知道，克律塞斯既然又得到了他的女儿，那我就要从你的帐篷里取走布里塞伊斯，好让你懂得我比你更强大，没有一个人敢像你这样当面顶撞我！”

阿喀琉斯怒不可遏，他极力控制住自己。因为雅典娜女神这时突然现身于他的身旁，只有他一个人能看见她。她抓住他的头发，耳语道：“你要镇静，不要拔剑。如果你听我的话，我就答应给你三倍的赏赐！”

阿喀琉斯听从了这个劝告，把他的剑又放回剑鞘，但他的话却不饶人。“你这个无耻的人，”他说，“你心里什么时候想过，与希腊最高贵的人一齐去进行伏击或者在面对面的战斗中冲锋陷阵？对你来说，在军营中把敢于反对你的人的战利品占为己有，这是再快意不过的了。我对着这柄权杖向你发誓，从今以后你再也不会在战场上看到珀琉斯的儿子了。当勇猛无敌的赫克托耳像刈（yì，割〔草或谷类〕）草似的杀死希腊人时（运用比喻的修辞手法，生动形象地写出赫克托耳杀死希腊人时的轻而易举），你休想来找我求救；既然你对希腊最高贵的人加以鄙视，那么等到你的灵魂受到折磨时，我是不会帮你的！”说罢他把权杖抛到地上，自己坐了下来。

德高望重的涅斯托耳试图用温和的言辞来为两个争吵者进行调解，但毫无作用，到最后阿喀琉斯向阿伽门农说道：“随你怎么做好了，但别想让我服从你。我绝不会因为这个少女而起来去反对你或其他人。你们把她给了我，你们也能把她从我这儿拿走。但是你别想再碰我的舰船，一点儿也不行。若是你敢的话，那我的投枪就会要你流血。”

会议散了。阿伽门农让人把克律塞斯的女儿和祭品带到船上，由奥德修斯来押送。随后他喊来塔尔堤比俄斯和欧律巴忒斯两个传令官，命令他们去阿喀琉斯的帐篷里把布里修斯的女儿带来。两位传令官并不高兴，却不得不服从他们统帅的命令。他们看见阿喀琉斯坐在他的帐篷前面，但由于胆怯和敬畏而不敢说出他们的来意。倒是阿喀琉斯向他们喊道：“过来些，宙斯和人的传令官，我知道你们来做什么，错不在你们，是阿伽门农的错。来吧，帕特洛克罗斯，我的朋友，把那个少女带出来，交给他们。但他们该成为我在众神面前，在人的面前，在那残暴的人的面前的证人：如果有人再需要我的帮助，而我没有答应的话，这并不是我的过错，而是阿特柔斯的儿子的过错。”

帕特洛克罗斯把布里塞伊斯带了出来，她不情愿地跟随他们，因为她已经爱上了她那温柔的主人。阿喀琉斯坐在海边哭泣，望着阴沉的海水，乞求他的母亲忒提斯帮助他。忒提斯的声音从海底深处传来：“我的孩子，我后悔生下了你。你的生命如此短暂，你现在还得遭受这么多的痛苦和伤害！但我会祈求宙斯帮助你。你就一直坐在你的舰船那儿，向希腊人发泄你的愤怒，不要去参加战争。”听到母亲的话后，阿喀琉斯就离开了海岸，回到自己的帐篷。

忒提斯在这期间去履行她的诺言。她直上天庭到奥林匹斯圣山，手环宙斯的双膝对他说：“宙斯父亲，如果说我为你用语言或行动效过力的话，那请答应我的要求。阿伽门农深深地侮辱了我的儿子，夺走了他得到的战利品。因此我请求你，众神之父，让特洛伊人一直得到胜利，直到希腊人重新给我儿子他应当得到的荣誉!”宙斯长时间动也不动，沉默不语。但忒提斯越来越紧地抱着他的膝盖并轻声地说：“父亲，请答应我的请求，或者你干脆加以拒绝，这样我就知道，我不比诸神更讨你的喜爱!”她终于使众神之父不满地回答说：“你逼我去惹恼众神之母赫拉，这不是件好事；她原本就反对我的。你赶快离开，别让她看见你。我已经点了头，你该满意了。”他耸动眉毛，点了点头，奥林匹斯高山在震颤。

忒提斯满意地返回海洋深处。赫拉已经看到了她的丈夫与忒提斯的见面，于是走到宙斯跟前，大声责骂，想要激怒他。但众神之父平静地回答说：“不要胡乱猜疑我做出的决定。别说话，服从我的命令。”赫拉对她丈夫说的话感到惊恐，她不敢去反对他的决定。

阿伽门农的试探

随后不久，宙斯派梦神到希腊人的营盘并进入正在酣睡的阿伽门农国王的帐篷。梦神化身成阿伽门农极为敬重的涅斯托耳的形象，他靠近他的头部对他说：“你还在睡，阿特柔斯的儿子？一个为整个民族出谋划策的人不可以睡这么久啊！我是作为宙斯的一个使者到你这儿来的，听我说，众神之父命令你率领希腊人去进行战斗，现在是去征服特洛伊的时候了。上天已经做出决定，毁灭已临特洛伊城上空。”

阿伽门农醒来，匆忙地离开营盘。他穿上衣服，荷（hè，背或扛）着宝剑，手执权杖，凌晨时就来到舰船旁。传令官按照他的命令，召集众人举行会议。军队中的诸王都集合到涅斯托耳的船这儿。阿伽门农第一个讲话：“朋友们，高贵的人们！宙斯赐我一个神梦，告诉我，毁灭已临特洛伊城上空。让我们看看，我们能否成功地集合起由于阿喀琉斯的愤怒而失去斗志的人去进行战斗。我本人要进行试探，用言辞打动他们，劝告他们乘船离开特洛伊海岸。随后你们分散到四处，说服他们留下。”

涅斯托耳离开会议，诸王也都跟随他前往广场，士兵早已集聚在那里，像一个蜂群。站在人群中间，阿伽门农讲话了：“亲爱的朋友们，希腊人的勇敢战士！宙斯的昏聩（眼花耳聋，形容头脑糊涂，不明是非。聩，kuì）糊涂欺骗了我们，他先前曾仁慈地向我许诺过，我们可以征服特洛伊城，凯旋而归。可现在，他——这个已经粉碎了许多城市并且以他的威力还要粉碎更多城市的众神之父，却命令我们不光彩地返回希腊。如果我们的后代知道，一个强大的希腊在一场反对软弱得多的敌人的战斗中不能得胜，这当然是一种耻辱。但是敌人在许多城市里有强悍的同盟者，他们的力量不容许我们去占领这些城市。九年的时光已经过去了，这期间，我们舰船的木头已经腐烂，绳子已经断裂，我们的女人和孩子坐在家里思念我们。我们遵照宙斯的旨意，登船返回亲爱的故乡，这样做更好！”

阿伽门农的话使人们激动起来，整个军队陷入骚乱。大家都向舰船跑去，人们相互激励着把船只拖入海中。船底下垫的枕木被抽掉了，与大海相连接的水沟被疏通了。

当奥林匹斯圣山上的希腊支持者看到希腊人如此忙乱时，他们也感到不安起来。赫拉提醒雅典娜赶快下山，用她的甜言蜜语阻止希腊人的奔逃。雅典娜听命，随即飞下奥林匹斯圣山，径直进入希腊人的船营。她找到了奥德修斯，他动也不动地站在自己的船前，愁肠百结。女神走近他，现身在他的眼前，亲切地对他说道：“你们真的要乘船逃走？你们要使普里阿摩斯得到荣誉并把海伦留给特洛伊人？就是这个希腊女人使许多希腊人远离祖国，死于异地。不，你不能忍受这件事，高贵的聪明的奥德修斯！快到希腊军队中去！用你的雄辩言辞去警告他们，去阻止他们。”

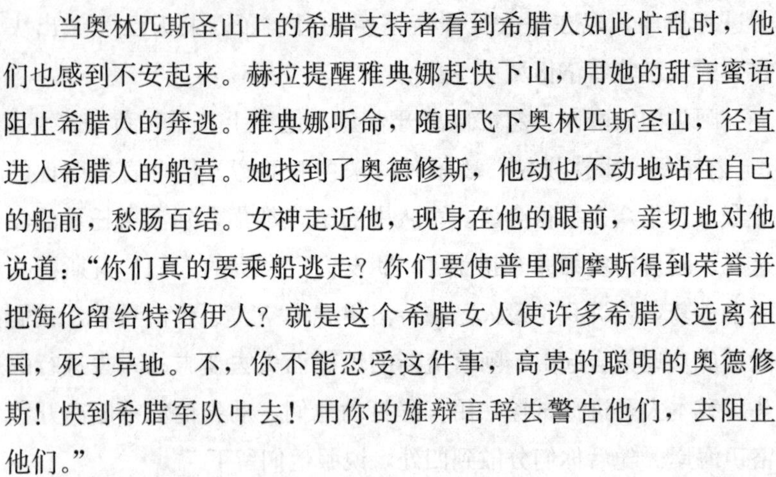

奥德修斯听从女神的话，来到士兵中间。每遇上一个英雄或者一个高贵的人，他就用亲切的话劝阻他们，并对他们说：“难道你也像一个懦夫那样贪生怕死？你应当安心地留下来，并去安慰其他人。难道你不知道，阿特柔斯的儿子心里真实的想法吗？他是在试探希腊人！”当他碰上一个乱喊乱叫的士兵时，他就用他的权杖把他打翻在地，并大声地恫吓（dònghè，威吓，吓唬）他：

“可怜虫，不要乱动。我们希腊人不能每个人都是国王！人人发号施令是不行的，宙斯只把权杖给了一个人，其他人要服从他！”

奥德修斯让他坚定的声音响彻军营，士兵们终于离开了舰船，涌回到广场。人们逐渐平静下来，耐心地在座位上等待着。

这时英雄奥德修斯出现在众人面前；站在他旁边的是雅典娜女神，她化身为一个传令官，要求大家安静下来。奥德修斯把权杖举向空中，他说：“阿特柔斯的儿子，真的，事情已经到了这一步，希腊人准备使你受辱，他们不忠于自己的诺言。我们在这儿停留了很久，如果现在空手而归，这对我们是怎样一种耻辱呀！因此，朋友们，你们再忍耐一段时间。你们想想，我们从奥利斯启程前在美丽的槭（qì）树下面向圣坛献上祭品时，我们得到的征兆。一条披着深色鳞甲的可憎的蛇从神坛下面钻了出来，缠着槭树爬到上面。树枝高处上悬着一个里面有幼雏的麻雀雀巢，其中八只幼雏依偎在树叶中间，第九只是抚育它们的母鸟。母鸟发出悲哀的啁啾（zhōujiū，形容鸟叫的声音）声，在幼雏四周盘旋。大蛇转过头来，咬住可怜的麻雀的翅膀。当它把母鸟和它的全部幼雏吞食之后，把它派来的宙斯就把它变为一块石头，显现出一个奇迹。你们都极为惊恐地看到了。这时你们的预言家卡尔卡斯却向你们喊道：‘希腊人，你们为什么站在这儿一声不响？难道你们不知道，这个奇迹是宙斯的一个预言吗？九只麻雀是九年，为了夺取特洛伊需要九年的战争。在第十年你们就能占领这座美丽的城市。’当时卡尔卡斯是这样预言的。现在战斗就要结束了！战争的九个年头已经过去，第十个年头已经来临，胜利必然与第十个年头一同到来。朋友们，我们共同地等待吧！留下来，直到我们毁灭掉普里阿摩斯国王的城堡！”

集聚起来的希腊人用欢呼声回答了奥德修斯的讲话。聪明的

涅斯托耳利用士兵的转变情绪，劝告阿伽门农重新对氏族和部落的士兵加以调整并开始战斗。这样他就能准确地知道，谁是战士中和首领中最勇敢的或者最胆小的，并知道是恐惧还是缺少战斗经验才阻止了对特洛伊的占领。

阿伽门农对这个建议感到高兴："涅斯托耳，你这老头儿，真的，你的智慧超过众人，如果在我们希腊人会议里有十个像你这样的人的话，那特洛伊高耸的城堡不久就会被我夷为平地。我必须承认，我因为一个姑娘而同阿喀琉斯决裂是不智之举。当时宙斯使我变得盲目无知。一旦我们两人重新和解，那特洛伊必定毁灭无疑。但现在我们要发起攻击！每个人都吃得饱饱的，准备好盾牌和投枪，喂饮好你们的战马，检查好战车，这场战斗想必会持续到傍晚。若是谁故意畏缩不前，逗留在舰船里的话，那我就把他的身体抛给狗和鸟！"

阿伽门农一说完，希腊人就大声叫喊起来，当这声音顺着南风撞击高耸的崖石时，发出了海浪般的呼啸声。士兵们跳了起来，每个人都奔向自己的舰船。阿伽门农向宙斯献祭了一头牛，并请希腊人中最高贵的人与自己共同进餐。当这一切结束时，他命令传令官召集希腊人去进行战斗，不久士兵们就冲向斯卡曼德洛斯原野，王中之王的阿伽门农看起来魁梧威严，他的眼睛和头像众神之父，他的宽阔胸膛像波塞冬，他身披战袍戴着头盔像是战神本人（运用外貌描写，表现了阿伽门农的威严魁梧）。

帕里斯和墨涅拉俄斯

当终于看到蜂拥而来的特洛伊人时，按照涅斯托耳建议的以氏族部落组成的希腊军队排开了阵势。两支军队面对面开始战斗。这时国王的儿子帕里斯从特洛伊人中走了出来，他披着斑斓的豹皮，肩上扛着弓，宝剑悬在一侧。他晃动手中两支锋利的投枪，要求希腊人中最勇敢的人与他单独决斗。墨涅拉俄斯一看到这样一个漂亮猎物出现时，他兴奋得像只饥饿的狮子，立即全副武装地从战车上跳了下来，他要惩罚这个抢走他妻子的无耻强盗。帕里斯看到这样一个对手便惶恐起来，就像看到一条毒蛇似的，他面色苍白地欲退出战斗（运用对比的手法，将墨涅拉俄斯与帕里斯做对比，突出了墨涅拉俄斯的顽强勇敢，帕里斯的胆小懦弱）。

这时赫克托耳在特洛伊人群中看到他后退，于是愤怒地向他喊道："兄弟，你徒有英雄的外表，却只是个拐骗女人的狡猾家伙！你最好在得到海伦前就死去！难道你没看到，希腊人在嘲笑你不敢面对那个你抢走他妻子的男人吗?"帕里斯回答说："赫克托耳，你的心是硬的，你的勇敢像铁制的斧头那样不可抗拒。如果你要看到我战斗，那就让特洛伊人和希腊人安静下来。然后我要为海伦和她所有的财宝与英雄墨涅拉俄斯在所有人面前单独决斗。我们中谁若是胜了，谁就把海伦带回家；特洛伊人得到和平，希腊人返回阿耳戈斯。"

赫克托耳听到兄弟的这番话感到惊喜，他走到士兵前面，制止特洛伊人向前推进。当希腊人看到他时，他们竞相把投枪、弓箭和石头向他投去。阿伽门农却大声地向希腊士兵喊道："停下，希腊人，住手，赫克托耳要说话!"于是希腊人垂下手来，沉默地等待；赫克托耳大声地向全体士兵宣布他兄弟帕里斯的决定。随之是一片寂静，鸦雀无声；终于墨涅拉俄斯在两军阵前说话了。"听我说，"他喊道，"我的灵魂承受着最沉重的痛苦！你们希腊人和特洛伊人在这场由帕里斯所挑起的战争中忍受了那么多的苦难，现在我希望你们彼此可以和解了！我们俩中间的一个，不管命运选中谁，必须得有一个人去死。让我们祭祀和发誓，然后开始决斗。”

双方士兵都对这番话感到高兴，因为他们早就盼望这场灾难性的战争快点儿结束。双方的战车驭手都勒住了马的缰绳，英雄们跳下战车，卸掉盔甲，放下武器，敌人双方并肩坐在地上。赫克托耳急忙派两个传令官回特洛伊城，去取做祭祀用的羔羊并把国王普里阿摩斯喊来。但众神的女使者伊里斯化身为普里阿摩斯的女儿拉俄狄刻急忙进入城内向海伦报告了这个消息。她在纺车旁找到了神情专注的王后。“亲爱的孩子，快出来吧，”她朝王后喊道，“你该看看这罕见的事情！刚才还怒目相对准备拔刀厮杀的希腊人和特洛伊人，现在安安静静地面对面坐在那里。战争结束了。只有你的丈夫帕里斯和墨涅拉俄斯拿着投枪为你而战，谁战胜了对手，谁就得到你做妻子！”

女神的话使海伦心中充满了对她以前的丈夫墨涅拉俄斯，对故乡和朋友们的思念。她很快戴上一层银白色的面纱，掩盖住她的泪水，带着两个女仆，匆匆地来到斯开亚城门。这儿，在雉堞上坐着国王普里阿摩斯和特洛伊人中最年长和最睿智的老人。当他们从城垛的高处看到海伦走来时，相互低语说：“真的，没有人会责备特洛伊人和希腊人为这样一个女人而长时间忍受苦难。她美丽得像一个永生的女神！她尽管天生丽质，还是要随希腊人乘船回去，这样我们和我们的子孙就不必受苦受难了！”可普里阿摩斯却亲切地把海伦召到身边。“靠近些，”他说，“坐在我这儿，我要你看看你的前夫，你的朋友，你的亲人。这场充满苦难的战争不是你的过错；是神的过错，是他们把战争加于我的。告诉我那个威武有力的英雄的名字，在希腊人中我还从没有看到如此高贵的仪表。”

海伦充满敬畏地回答国王说："尊敬的父亲，我一在你的近旁，胆怯和畏惧就使我颤抖不止。想到我随你的儿子来到这里，离开了故乡，离开了我的女儿和朋友们，我真不如悲惨地死去。事已至此，我真想号啕大哭一场！听我说：那儿你问的那个人是阿伽门农，杰出的国王和勇敢的战士。他，他一度是我的夫兄。"——"可爱的女儿，你也告诉我那个人的名字，"普里阿摩斯说，"他不像阿特柔斯的儿子那么高大魁伟，但他的胸膛宽阔，他的双肩健壮；他的武器放在地上，他在众人中间像是羊群里的一只公羊。"——"那是拉厄耳忒斯的儿子，"海伦回答说，"狡猾的奥德修斯。他的家乡在伊塔刻岛。"

普里阿摩斯继续环顾四周。"那儿的那个巨人是谁？"他喊道，"他是那么高大和雄壮，在所有人中间显得那么突出。"——"那是英雄大埃阿斯，"海伦回答说，"他是希腊人的栋梁。那边稍近一点儿的是伊多墨纽斯，他在克瑞忒人中间像是一个美神。我熟悉他，墨涅拉俄斯经常在我们家里招待他。啊，他们我都认识，是我的国家里的骁勇战士。若是时间允许，我会把他们的名字都告诉你！只是我没有看到我可爱的兄弟卡斯托耳和波吕丢刻斯。难道他俩没有到这儿来？或者他们不敢在战场上露面，因为他们为他们的妹妹感到羞愧？"海伦一想到此就沉默下来。她不知道，她的兄弟早就战死了。

在他们交谈期间，传令官从城里带来了祭品：两只羔羊和当地酿制的美酒。传令官伊代俄斯跟在后面，手捧闪闪发亮的酒壶和金杯。他们穿过了斯开亚城门，走近普里阿摩斯国王，并对他说："请你起来，国王，特洛伊人和希腊人的诸王请你下到战场上，让你为一项神圣的协定主持宣誓。你的儿子帕里斯和墨涅拉俄斯单独为那个女人用长矛进行决斗。谁在战斗中胜了，海伦和她的财宝就归谁所有。随后希腊人就乘船返回家园。”

国王愕然，可随即他命令随从备车；安忒诺耳随他一同登车。普里阿摩斯拉动缰绳，不久马车就穿过斯开亚大门向田野驶去。抵达两军阵前，国王同他的陪伴者下车，站到中间。现在，阿伽门农和奥德修斯从希腊军队中急忙跑出来。传令官把他们领到祭祀台前，把酒在壶中混合，并将圣水溅洒到两个国王的身上。随后阿伽门农抽出刀子，像通常的祭祀一样，割下羔羊额上的毛，呼唤众神之父为缔约做证。紧接着他割断羔羊的喉咙，把这个祭品放到地上。传令官在祈祷中把酒斟入金杯，所有的希腊人和特洛伊人都大声地祈求：“宙斯和所有的诸神！我们之中谁破坏了誓言，他的脑浆就像这酒一样流淌满地！”

但普里阿摩斯说：“特洛伊人和希腊人，现在让我重新回到伊里翁的城堡去，因为我不忍心在这儿亲眼看到我的儿子与墨涅拉俄斯的生死决斗；只有宙斯一个人知道，两个人中间谁死谁活！”他把被宰掉的羔羊放到车上，同他的陪伴者登上座位，掉转马头，重新驶回特洛伊城。

随后赫克托耳和奥德修斯量出决斗的距离，并在一个铁盔中摇动两个阄，以便决定谁先向对手掷出投枪。帕里斯拈得先筹。两位英雄装备停当，穿上铠甲，戴上头盔，手执沉重犀利的投枪，目光逼人地站到特洛伊人和希腊人的中间。终于他俩分离开来，面对面地站在量好的场地里，愤怒地挥动他们手中的长矛。通过拈阄帕里斯先投出他的长矛，长矛击中墨涅拉俄斯的盾牌，但矛尖刺到铁上弯曲了，落到地上。随之墨涅拉俄斯投出了他的长枪并大声地祈祷：“宙斯，让我惩罚那个首先侮辱我的人，使他们的子孙后代再不敢对好客的人为非作歹！”长矛射穿了帕里斯的盾牌，透过他的胸甲，刺破了侧腹上的内衣。随之墨涅拉俄斯从

剑鞘里拔出宝剑，朝对手的头盔上砍去，剑锋却当啷地碎成几截。

“残酷的宙斯，你为什么不愿意让我取得胜利?”墨涅拉俄斯喊道，他冲向敌人，抓住他的头盔，并把他拽到希腊军队面前。如果不是阿佛洛狄忒看到情况危急把头盔的皮带割断的话，帕里斯肯定会被紧缠着的皮带勒死。这样墨涅拉俄斯手里拿的只是空空的头盔。他把它抛给希腊人并要重新扑向对手，可阿佛洛狄忒把帕里斯裹在一层起保护作用的浓雾里，带他回到了特洛伊。她把他放到海伦的散发着芳香的内室，然后化身为一个斯巴达纺织老妇，来到海伦面前。海伦这时正坐在塔楼上一群特洛伊女人中间。女神扯动她的衣服并对她说：“来，帕里斯在叫你，他身穿华丽的服装在内室等你。人们会认为他是要去参加舞会，而不是去进行决斗。”

当海伦抬头观望时，她看到千娇百媚的阿佛洛狄忒在自己面前消失不见了。她避开众人偷偷地离开，直奔回自己的宫殿。她在自己的内室里找到了她的丈夫，他被阿佛洛狄忒打扮得光彩照人，坐在一只扶手椅里。她坐在他的对面，把眼睛转到别处，责备他说：“你从战场上回来的？我宁愿看到你被我从前那个强有力的丈夫杀死！不久前你还夸口说，你在投枪和格斗中能战胜他！去，再去向他挑战一次！不，我劝你安静地留下，不然他会把你打得更惨！”

“不要用你的辱骂来伤害我的心，”帕里斯回答她说，“如果说墨涅拉俄斯战胜了我，那只是因为雅典娜帮助了他。下一次我会打败他的。神祇也没有忘记我们。”这时阿佛洛狄忒改变了海伦的心肠，她亲切地望着他，与他和解了，并送上她的嘴唇亲吻他。

这期间墨涅拉俄斯还一直在战场上像只野兽似的来回奔跑，想在军队中寻找消失了的帕里斯，但既没有一个特洛伊人也没有一个希腊人能告诉他帕里斯去哪里了。终于阿伽门农提高他的音量说道："听我说，你们特洛伊人和希腊人！墨涅拉俄斯显然是个胜利者。现在请把海伦连同她的全部财宝交还给我们，并此后永远向我们纳贡!"希腊人对这个建议热烈欢呼，而特洛伊人沉默不语。

成长启示

奥德修斯出于嫉妒，设计害死了无辜的帕拉墨得斯；阿伽门农因为自私，让英雄阿喀琉斯愤然出走。嫉妒和自私是两剂毒药，不仅会损害他人的利益，也会使自己丧失快乐。就像苏霍姆林斯基所说的那样："嫉妒、自私、多疑，担心'别人看不起自己'，所有这些情绪会慢慢使人的面部表情失去生气，变得愁眉苦脸、闷闷不乐。"在自我提高的同时学会欣赏他人，在努力进取的同时做到知足常乐，在享受成果的同时不忘与人分享，这样才能获得真正的快乐。

要点思考

1. 阿喀琉斯为什么退出了战争？
2. 阿伽门农号召士兵登船返回故乡，他这样做的用意是什么？

写作积累

● 寡不敌众　并肩作战　望风而逃　死得其所　勃然大怒
咬牙切齿　毫发无损　能言善辩　想方设法　势不两立
满载而归　理所应当　轻举妄动　闻所未闻　鸦雀无声
随心所欲　不遗余力　咄咄逼人　精疲力竭　惹是生非
德高望重　光彩照人

● 凡事深思熟虑，都是为了赢得赞扬而不是遭到唾骂。

第三卷

导读

众神的参与让战争变得异常激烈、血腥。雅典娜拒绝保护特洛伊城，赫克托耳不顾宙斯给的征兆而深入希腊人的营地。宙斯的干预、阿喀琉斯的离开使得希腊军队落于下风，阿伽门农认识到自己的错误，决定请阿喀琉斯回来战斗，阿喀琉斯将做何决定？面对挚友帕特洛克罗斯的牺牲，阿喀琉斯又将何去何从？

潘达洛斯

在奥林匹斯圣山上，众神正举行一次大型的会议，赫柏在桌间来回斟酒。众神相继品尝金杯中的美酒并俯视着下界的特洛伊城。这时宙斯和赫拉已经决定了特洛伊的毁灭。众神之父转身面向他的女儿雅典娜，命令她快到战场上鼓励特洛伊人，去侮辱正为自己的胜利而感到骄傲的希腊人。雅典娜立即混进特洛伊人中间，她化身为安忒诺耳的儿子拉俄多科斯。她找到了桀骜不驯的潘达洛斯，他是特洛伊的一个同盟者。她对他说："听着，聪明的潘达洛斯，现在你能做件事了，所有的特洛伊人都将为此而称赞你和感谢你，特别是帕里斯，他肯定会赠给你贵重的礼物。你看到站在那儿趾高气扬的胜利者墨涅拉俄斯了吗？鼓起勇气，把你的箭射向他。"

愚蠢的潘达洛斯听从她的话，瞄准墨涅拉俄斯射出了一箭。雅典娜却把这支箭引向墨涅拉俄斯的腰带，它虽射穿了腰带并穿透了铠甲，可只擦伤了他的皮肤。阿伽门农和墨涅拉俄斯的伙伴惊叫起来，冲了过去。"亲爱的兄弟，"阿伽门农国王喊道，"我为你缔结了生死誓约，可不讲信义的敌人却践踏了它。他们要为此赎罪，我发誓，普里阿摩斯和他的全体民众毁灭的日子已经到来了。你无比痛苦的死亡使我伤心。当我没有你而返归家乡时，在祖国等待我的是怎样一种耻辱啊！"但墨涅拉俄斯安慰他的兄弟说："放心吧，这一箭并没有射死我，我的腰带救了我的命。"——"哦，这就好。"阿伽门农叹了口气，并让他的传令官赶快把精通医术的玛卡翁叫来。

就在医生和众英雄为墨涅拉俄斯忙碌期间，特洛伊人的军队在向前行进，希腊人也重新装备停当准备迎战。不久，特洛伊人进入战场。诸王在发布命令，另外一些人在无声地走动。特洛伊人则大声吵吵嚷嚷，队伍中响起了不同民族的不同语言。众神的叫战声也掺杂其间：阿瑞斯在激励特洛伊人，而雅典娜则为希腊人鼓劲。

两军大战　狄俄墨得斯

不久两军进入战斗：盾牌相击，长矛交错，人声鼎沸，这儿痛苦哀鸣，那儿欢呼高喊，声音此起彼伏。一场血腥的战斗开始了，双方都有许多英雄当场死亡。

雅典娜用异乎寻常的力量和勇气来武装堤丢斯的儿子狄俄墨得斯，使他在希腊人中超凡出众，赢得了不朽的荣誉。她使他的头盔和盾牌明光锃亮得同秋夜中的天狼星一样灿烂，并驱使他进入敌人密集之处。

在特洛伊人中间有一个赫淮斯托斯的祭司，他名叫达瑞斯，是一个有权有势的富人；他把他的两个儿子斐勾斯和伊代俄斯送到战场上。他们俩从他们的队伍中乘着战车冲出，直扑向徒步作战的狄俄墨得斯。斐勾斯首先投出他的长矛，但它从狄俄墨得斯的左肩滑过，没有伤到他。可狄俄墨得斯的投枪却射中斐勾斯的胸膛，并把他从战车上击落在地。伊代俄斯看到这个情景，他没有敢去保护兄弟的尸体，而是从战车上跳下来逃之夭夭。

现在雅典娜拉起她兄弟战神阿瑞斯的手并对他说：“兄弟，我们现在作壁上观（人家交战，自己站在营垒上观看，比喻坐观成败，不给予帮助），让特洛伊人和希腊人自行厮杀，看看我们的父亲希望哪方得胜不好吗？”阿瑞斯让他的姊妹带出战场。可雅典娜知道得很清楚，她宠爱的狄俄墨得斯正在用她赋予的力量进行战斗。

现在希腊人开始加劲去压制敌人，在每一个希腊人面前都有一个特洛伊人倒下。狄俄墨得斯在战场上横冲直撞，人们不知道他是希腊人还是特洛伊人，因为他时而在这儿时而在那儿。突然潘达洛斯张弓朝他瞄准，一箭就射中了他的肩膀，鲜血顺着铠甲喷溅而出。潘达洛斯朝他的伙伴喊道：“特洛伊人，策动你们的战马，向前冲啊！我射中了最勇敢的希腊人！他很快就要倒下起不来了！”但这一箭并没射死狄俄墨得斯。他站在自己战车前面并向雅典娜祈祷说：“宙斯的蓝眼睛女儿！把我的投枪引向那个伤我的人，现在欢呼吧，他再不能看到阳光了!”雅典娜听到他的祈求，使他的胳膊和双脚精力充沛，变得像只鸟儿一样敏捷，重新扑入战场，伤口一点儿也不碍事了。她对他说：“去吧，我已拔掉你眼睛上的白翳(中医指眼球角膜病变后留下的瘢痕，能影响视力。翳，yì)，这样你就能区别出战场上的神祇和凡人了。你不要与一个神进行战斗。如果阿佛洛狄忒靠近了你，你只能用你的矛伤她!”

狄俄墨得斯迅即冲到最前面，他有三倍的勇气和力量，像一头山狮(运用比喻的修辞手法，生动形象地写出狄俄墨得斯的勇猛有力)。在这儿他一枪就刺穿了阿斯堤诺俄斯的肩胛(jiǎ)，使他倒地；随后他把普里阿摩斯的两个儿子——克洛弥俄斯和厄肯蒙从战车上抛了出来，剥掉他们的盔甲，而他的随从把抢到的战车驶回船营。

普里阿摩斯国王的勇敢的女婿埃涅阿斯看到特洛伊人的队伍在堤丢斯的儿子狄俄墨得斯的投枪和长矛的打击下溃退下来，于是冒着箭矢跑到潘达洛斯跟前。“吕卡翁的儿子，”他说，“你的弓箭呢？你的无人敢于与你争锋的荣誉呢？瞄向那个使许多特洛伊人命丧黄泉的人，只要他不是一个化身为人的神，就给他一箭!”潘达洛斯回答他说：“如果他不是一个神，那就是我以为已经射死了的狄俄墨得斯。若是这样，肯定是一个神保护了他，并且现在还在帮助他！而我大概就成了一个不幸的战士!”潘达洛斯飞身上了埃涅阿斯的战车，两个人策动战马直冲向狄俄墨得斯。

斯忒涅罗斯看到他们逼近，就朝狄俄墨得斯喊道：“你看，两个勇敢的人在朝你冲来！让我们逃离开来，你的愤怒没法儿帮助你对付他们!”但狄俄墨得斯阴恻地望去，回答他说：“不要告诉我什么是恐惧！我的力量还没有用完。只要我站在这儿，我就要迎击他们。”就在狄俄墨得斯说话时，潘达洛斯的一支投枪已飞向他，它穿透了盾牌，但被他的铠甲弹掉。“没有击中，落空了!”狄俄墨得斯向欢呼的特洛伊人喊道，并把他的长矛刺进敌人眼下的颌骨，杀死了他。潘达洛斯从战车上栽倒在地。他的战马匆匆地向一边奔驰而去，但埃涅阿斯从战车上跃下，保护尸体，他准备杀死任何来凌辱死者的敌人。现在狄俄墨得斯举起一块通常两个普通人都无法举起的巨石。他投中了埃涅阿斯的髋(kuān)骨，击得粉碎，撕裂断肌腱，使他瘫倒在地。若不是阿佛洛狄忒用洁白的双臂环抱她亲爱的儿子，用她银色衣服的褶裥(jiǎn)把他裹了起来并从战场上抢了下来的话，那他早就死了。

狄俄墨得斯认出了女神阿佛洛狄忒，他穿过密集的人群跟踪并接近了带着儿子的阿佛洛狄忒。这个英雄向她掷出了长矛，刺穿了她手腕的皮肤，鲜血开始汩汩流个不停。受伤的女神大声叫喊起来，埃涅阿斯也落到地上。她向她的兄弟战神阿瑞斯奔去。“哦，兄弟，”她乞求道，“快把我带走，给我匹马，我要逃到奥林匹斯山去；我的伤口痛得很。狄俄墨得斯这个凡人伤了我，他简直能与我们的父亲宙斯进行较量呢!”阿瑞斯把战马让给了她，阿佛洛狄忒一到奥林匹斯圣山就哭着投入她的母亲狄俄涅的怀抱。

在下界战场上，狄俄墨得斯扑到躺在地上的埃涅阿斯身上，连击三次要置他于死地，但三次都被愤怒的阿波罗——他在他的姊妹阿佛洛狄忒受伤后迅速赶了过来——用盾牌挡住。他用威胁的声音说道：“你这个凡人，不要敢于同神来进行较量!”狄俄墨得斯胆怯起来，脚步迟疑地避开了。阿波罗背起埃涅阿斯，穿过密集的人群回到他的神庙，在那儿由他的母亲勒托和他的姐姐阿耳忒弥斯来加以护理。现在阿波罗提醒战神阿瑞斯，要把那个竟敢与神进行战斗的胆大妄为的狄俄墨得斯弄得远远的。战神于是化身为特刺刻的阿卡玛斯，他混在普里阿摩斯的儿子们中间，斥责他们说："你们这些王子，你们要那个希腊人杀戮到什么时候呢？难道你们要等到兵临城下才进行战斗吗？难道你们不知道埃涅阿斯已经倒下了吗？起来，让我们从敌人的手中来拯救我们高贵的伙伴！"阿瑞斯激发起特洛伊人的勇气，所有的人又都向着敌人冲去。这时埃涅阿斯也恢复了健康，精力充沛地被阿波罗遣到战场投入战斗，与他的伙伴会聚在一起冲向敌人。

由狄俄墨得斯、两个埃阿斯和奥德修斯率领的希腊人，对敌人的临近严阵以待。阿伽门农先是用投枪掷向逼近的特洛伊人，并击倒了埃涅阿斯的朋友，受人尊敬的一向冲锋在前的得伊科翁。但埃涅阿斯强有力的手也杀死了两个勇敢的希腊人：克瑞同和俄耳西罗科斯。墨涅拉俄斯为他俩的死而悲愤，他挥动长矛并迅速地迎向冲在前面的敌人。在一番血腥的战斗之后，他成功地把两具尸体从敌人手中夺回并交给朋友守护。

但现在赫克托耳率领一群最勇猛的特洛伊人逼了上来，战神阿瑞斯本人时而出现在他的面前，时而跟在他的身后。当狄俄墨得斯看到战神走来时，他惊恐起来并朝着他的士兵喊道："朋友们，不要为赫克托耳的无畏而惊慌；因为有一个神一直在保佑他，使他不会死亡。如果我们后退，那就是在神的面前退缩！"这期间特洛伊人越逼越近了，赫克托耳杀死了同乘一辆战车的两个勇敢的希腊人：安喀阿罗斯和墨涅斯忒斯。忒拉蒙的儿子大埃阿斯赶来复仇，用投枪掷向特洛伊人的一个同盟者安菲俄斯，击中了他的腰部，使他栽倒在地。一阵密集飞来的长矛阻止了大埃阿斯去夺取死者的甲胄。

阿瑞斯和赫克托耳现在压迫着希腊人，迫使希腊人逐渐退向他们的船营。仅在赫克托耳手上就死去了六个出色的英雄。众神之母赫拉从奥林匹斯山上惊愕地看到特洛伊人在阿瑞斯的协助下所进行的杀戮。在她的催促下，雅典娜的战车装备停当，战车装饰有黄金的车轮、白银的车轴、黄金的车辕，赫拉亲自给战车套上她的战马。雅典娜披上她父亲的铠甲，头顶金盔，握住绘有女妖戈耳工蛇头的盾牌，拿起长矛，跃上用金带缚牢的银制座位。赫拉坐在她的旁边，挥动皮鞭，催马疾行。由时序女神守护的天庭大门自动敞了开来，两位强大的女神驶过巉岩（高而险的山岩。巉，chán）绝壁。宙斯坐在圣山的顶峰，赫拉朝他喊道："你的儿子阿瑞斯对抗命运，毁灭希腊人中的精英，难道你不感到愤怒吗？难道你没看见鼓动起这个莽夫的阿佛洛狄忒和阿波罗是多么兴高采烈吗？现在请允许我给这个狂妄之徒沉重一击，使他从战场中滚出来！"——"你完全可以这样做，"宙斯回答她说，"可只能派我的女儿去对付他，她知道如何去跟他进行一场恶斗。"战车从星空中飞速直驶下界，到西摩伊斯河与斯卡曼德洛斯河交汇的地方才停了下来，马匹落到地上。

两位女神立即奔向战场，在那儿士兵像狮子和公猪一样拥在堤丢斯的儿子四周进行厮杀。赫拉化身为斯屯托耳混在他们中间，并用这位英雄的铁一般的声音喊道："你们希腊人，可耻啊！难道只有令人畏惧的阿喀琉斯站在你们旁边，你们才能战斗吗？他现在坐在船旁边，你们就成了一群废物！"她用这种呼喊激起了希腊人已动摇了的勇气。而雅典娜本人则径直驱向狄俄墨得斯。她发现他站在自己的战车边，在处理他的伤口，这是潘达洛斯的弓箭射伤的。"狄俄墨得斯，"她说，"我选中的朋友！从现在起你既不要怕阿瑞斯也不要怕其他神祇，我要成为帮助你的人。勇敢地掉转你的战马向疯狂的战神冲去！"说着，她轻轻地推了他的驭手斯忒涅罗斯一把，使他心甘情愿地跃下战车，而她本人则坐在这位伟大英雄的旁边。

车轴在女神和希腊人中最强壮的英雄的重压下呻吟作响。雅典娜立即抓紧缰绳挥动鞭子，直驱向战神阿瑞斯。阿瑞斯正在剥下他杀死的最勇敢的埃托利亚人珀里法斯的铠甲。当他看到狄俄墨得斯驾着战车冲向自己时——女神雅典娜本人用浓重的黑夜掩蔽自己——他放下珀里法斯，朝狄俄墨得斯奔去，用他的长矛对准这个英雄的胸膛掷去。但隐身的雅典娜用手抓住长矛，拨转了方向，使它偏离目标飞向空中。狄俄墨得斯从车座上立起身来，雅典娜本人把他的长矛对准阿瑞斯，刺中他腰带下部的软肋。战神咆哮起来，声音之大像是战场上万人齐声呐喊。特洛伊人和希腊人战栗发抖，他们认为听到的是宙斯发出的响雷。但狄俄墨得斯看到阿瑞斯裹在云中直飞向天庭。

战神到了奥林匹斯圣山，坐到众神之父的身边，指给他看正在流血的伤口。宙斯阴沉地看了看，说道："儿子，你不要到我这儿哀求！在奥林匹斯众神之中，你是我最厌恶的。你总是喜欢争吵打闹和寻衅滋事；比起所有的神，你更像你的母亲赫拉，你们都倔强又顽固。你的这种痛苦肯定也是你母亲造成的！但我不愿意看你这样长时间痛苦下去。众神的医生会给你医治。"于是宙斯把他交给神医派厄翁。派厄翁给他疗伤，伤口立刻就愈合了。

这期间其他神祇也返回奥林匹斯圣山，把战事交给特洛伊人和希腊人自行解决。现在忒拉蒙的儿子大埃阿斯首先冲进特洛伊人群中，并为他的伙伴打开一条通路，这同时他刺穿了最强大有力的特剌刻人阿卡玛斯头盔下面的额头。随后狄俄墨得斯杀死了阿克绪罗斯及其驭手。阿德剌斯托斯被马掀翻在地，于是被墨涅拉俄斯活捉，他的空车与别的空车跑回城里。阿德剌斯托斯抱起墨涅拉俄斯的双膝，悲哀地乞求说："阿特柔斯的儿子，活捉我吧，若是我的父亲能看到我活着，他会用他财宝中的铁和黄金来赎我回去。"

墨涅拉俄斯被这番话打动，可阿伽门农却向他走来并斥责他："墨涅拉俄斯，你要关怀你的敌人？没有一个人能逃出我们的手心，就是一个在母亲怀中的孩子也不能饶过！凡是在特洛伊长大的都得死（语言描写，直接表现了阿伽门农的冷酷无情）！"说罢，阿伽门农用长矛刺死了阿德剌斯托斯。

若不是普里阿摩斯的儿子赫勒诺斯对赫克托耳和埃涅阿斯说了下面这番话，那特洛伊人几乎就都逃进城里去了。他说："现在一切都靠你们了，朋友们。如果你们能在城前阻止士兵逃进去，那我就还能与希腊人进行一战。埃涅阿斯，众神首先就把这项任务加予你的身上。而你，赫克托耳兄弟，赶快回特洛伊；告诉我们的母亲，她要把最受尊重的女人召集到雅典娜神庙，把最华丽的衣服放到女神的膝前，并许下十二头完整的牛做祭品，求她保佑特洛伊的女人、儿童和他们的城市，去抵御可怕的堤丢斯的儿子。"赫克托耳随即从战车上跃下，从士兵中穿过，鼓舞他们的勇气，向城中奔去。

赫克托耳在特洛伊城

当赫克托耳抵达宙斯山毛榉（jǔ）下和斯开亚城门时，特洛伊的女人们把他围了起来，畏惧地问及她们的丈夫、儿子、兄弟和亲戚。他无法准确地给予答复，只是提醒她们去祈求神祇的保佑。可许多人都为他的消息痛苦和悲哀地垂下头来。

现在他到了父亲的王宫。这是一座美轮美奂的建筑，大厅四周都围有石柱。里面是五十间用光滑大理石建成的内室，一间连着一间。这里居住着国王的儿子及其妻子。在内宫的另一侧有相互排列起来的十二间用大理石建成的内室，那里居住着国王的女婿们和他的那些女儿。整个王宫被高墙围了起来，形成一座壮观的城堡。赫克托耳在这儿遇到了他慈祥的母亲赫卡柏，她正要去她最喜爱也是最漂亮的女儿拉俄狄刻那里。年迈的王后奔向赫克托耳，握住他的手，忧愁而关爱地说："儿子，你怎么从血腥的战场上到我们这儿来了？那些可怕的敌人一定是加紧逼迫我们，你来了一定是要去祈求宙斯。我去给你带来美酒，你好向宙斯父亲和其他神祇献上，然后你自己饮上一杯，这能使你精力充沛。"但赫克托耳回答王后说："亲爱的母亲，不要给我酒，免得我失去力量。听我说，你同特洛伊的最高贵的女人一同去雅典娜神庙那里，带上薰香，把最宝贵的衣服放到女神的膝前，给她祭上十二头纯净的牛，求她保佑我们。我本人要去喊我的兄弟帕里斯去参加战斗。愿大地把他活生生地吞掉，因为他生来就是要使我们毁灭的。"

母亲按照儿子的吩咐去做了。她下到芬芳的内室，那里边存放着最华美的衣服，她拿了一件最绚丽最漂亮的，由一群高贵的女人陪同着登上雅典娜神庙。特洛伊雅典娜的女祭司，安忒诺耳的妻子忒阿诺给她们打开了女神的圣堂。她们一排一排地围着雅典娜神像，悲泣地举起双手。随后忒阿诺从王后手中拿过去那件衣服，放在神像的膝前，并对宙斯的女儿祈求说："帕拉斯·雅典娜，城市的保护神，庄严和威力强大的女神，你折断狄俄墨得斯的长矛，让他栽倒在地，翻滚在我们城门前。你保佑我们的城市、女人和孩子！我们怀着这样的希望向你献上十二头纯净的牛。"但雅典娜在心里拒绝了她们的乞求。

赫克托耳在这期间到了帕里斯的宫殿。他右手执着长矛，它有十一肘长，靠近铁制矛尖的根部挂着一枚金环。他看到他的兄弟在内室里检查武器，磨平弓上的角质。他的妻子海伦坐在一些女人中间，领导她们操持家事。当赫克托耳看到帕里斯时，他责备帕里斯并喊道："兄弟，你闷闷不乐地坐在这儿是不对的，因为你，士兵们都在城前血战！起来，在城市被敌人焚毁之前，你要与我们一起保卫它！"

帕里斯回答他说："兄弟，你责备我不是没有道理的，可我在这儿不是因为闷闷不乐，而是由于苦恼而心余力绌（心有余而力不足）。我的妻子在亲切地劝我去战场作战。我正等着穿上我的铠甲，你先走吧！我很快就会跟上你的。"

赫克托耳沉默无语，海伦羞愧地对他说："哦，兄弟，我是一个可怜的、不祥的女人！在我与帕里斯登上这块土地之前，我真愿海浪把我吞没！但愿我至少有一个争气的丈夫，他能感受到他所招致的耻辱和大量的责骂。但他没有骨气，他的怯懦一定会带来恶果的。但你，赫克托耳，进来坐一坐，休息休息。"——"不，海伦，"赫克托耳说，"我的心在驱使我去帮助特洛伊人。你去鼓励鼓励这个人，让他赶快在城内就赶上我。此前我还要回自己家一趟，看看我的妻子、儿子和仆人。"

随后赫克托耳匆忙别去，但他没有在家中找到他的妻子。"当她听到特洛伊人遭到失败，希腊人得到胜利时，"女管家说，"她就像发疯了似的离开家门，登上了一个碉堡，女仆只好抱着孩子跟她而去。"

赫克托耳飞快地穿过特洛伊的大街返了回来。当他到达斯开亚城门前时，他的妻子安德洛玛刻——忒拜城国王厄厄提翁的如花似玉的女儿，正迎面向他跑来。跟在她后面的女仆怀中抱着幼小的婴儿阿斯堤阿那克斯。父亲面带安静的微笑睇（dì）视着孩子。安德洛玛刻两眼饱含泪水走到他的身边，温柔地握起他的手说道：“可怕的人，你的勇气肯定会使你丧命的。你既不可怜你的牙牙学语的孩子，也不可怜你的不幸的女人，你很快就要使她变成一个寡妇。如果我失去了你，那我便埋骨黄沙随你而去。阿喀琉斯杀死了我的父亲，我的母亲死于阿耳忒弥斯箭下，我的七个兄弟都丧于珀琉斯之手。如果再失去你的话，我便无依无靠，赫克托耳对我来说，是父亲、母亲和兄弟。因此，请可怜我，你留在塔楼上，不要让你的孩子成为孤儿，也不要让你的妻子成为寡妇！把军队调到无花果丘陵地。那儿的城墙无人去守卫，很容易攻破。最勇敢的希腊人已经向那里攻击了三次，不管是一个预言家指点过他们，还是受他们心灵的驱使！”

赫克托耳亲切地回答他的妻子说：“这也是使我感到担心的事，亲爱的，但如果我在这儿从远处观望战斗，那我会在特洛伊的男人和女人面前感到羞愧难当。虽然我的心在告诉我，神圣的特洛伊和普里阿摩斯及其人民的毁灭必将到来。但是我更为担忧的既非特洛伊人的，也非我的父母兄弟所遭受的苦难，而是一个希腊人把你掠去做奴隶，你在希腊坐在纺织车旁或者担水，去受劳役之苦。如果你被带走，我不得不听到你的叫喊声，那么我宁愿死去。”随后他深感忧愁地抚摩她，继续说着：“可怜的女人，你心里不要过分忧伤。如果我命不该绝，就没有人能杀死我，但没有一个凡人能逃脱自己的厄运。你到纺织车那儿去吧，指挥你的那些女仆！特洛伊的男人都得为战争尽力，尤其是我（不同于胆小怯懦的帕里斯，无论是对家庭还是对国家，赫克托耳都具有高度的责任感）！”说毕，赫克托耳戴上头盔离开了。在路上他遇到了他的兄弟帕里斯，帕里斯手执闪闪发亮的武器，他俩一同前行。

赫克托耳与大埃阿斯的决斗

当女神雅典娜从奥林匹斯圣山上看到两兄弟走进战场时，她迅速地飞向特洛伊城。她在宙斯山毛榉树旁遇见了阿波罗。他正去城堡的雉堞上调动特洛伊人去进行战斗，他对他的姊妹说：“你怎么这样焦急地从奥林匹斯下来了，雅典娜？你还一直要让特洛伊陷落，你这无情的人！听我的话，今天不要让他们进行决战，让他们下一次再战，因为你和赫拉不把高耸的特洛伊城夷为平地是不会罢手的！”——“正如你所说的，”雅典娜回答他说，“我就是抱着这样的目的下奥林匹斯的。但是请你告诉我，你想怎样使这场战斗停下来？”——“我们要给赫克托耳以更大的威力，”阿波罗说，“这样使他向一个希腊人进行决定性的挑战。让我们看看他们怎么做。”雅典娜同意了。

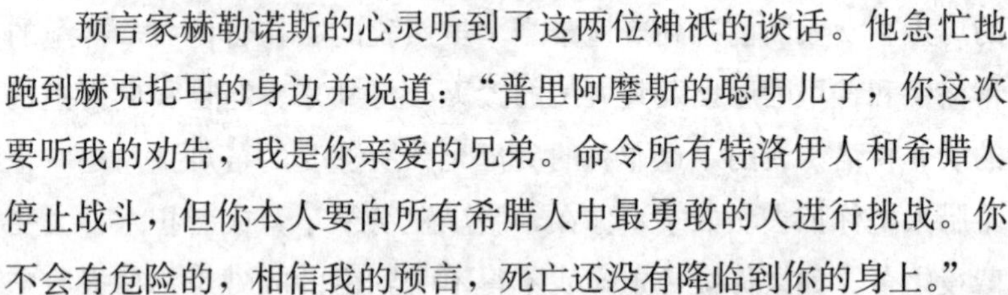

预言家赫勒诺斯的心灵听到了这两位神祇的谈话。他急忙地跑到赫克托耳的身边并说道：“普里阿摩斯的聪明儿子，你这次要听我的劝告，我是你亲爱的兄弟。命令所有特洛伊人和希腊人停止战斗，但你本人要向所有希腊人中最勇敢的人进行挑战。你不会有危险的，相信我的预言，死亡还没有降临到你的身上。”

赫克托耳对他的话感到高兴，于是对希腊人中最勇敢的英雄提出单独决斗的挑战。“宙斯是我的证人。我的条件是，如果我的对手用长矛把我杀死，他可以把我的铠甲拿走，带回到自己的船上，可是要把我的尸体送回特洛伊，使之在故乡得到焚化的荣誉。但如果阿波罗给予我光荣，使我能打败我的对手的话，我就把他的铠甲挂到特洛伊的阿波罗神庙上，你们可以把死者带回到你们的船上进行安葬，并为他在赫勒斯蓬托斯建立一个纪念碑，使后代过往的水手能够说，看吧，这儿耸立的是一位古代的战士的坟墓，他是在与赫克托耳的决斗中被杀死的。”

希腊人一片沉默，因为拒绝这种挑战是可耻的，而接受它又是十分危险的。终于墨涅拉俄斯站了起来，责备他的伙伴说：“你们这些说大话的人，令我难过，你们不是希腊的男子汉，你们是希腊的女人！如果没有一个希腊人敢于去对抗赫克托耳，这会是怎样的一种耻辱！我要亲自去进行这场战斗。神祇来决定它的胜负。”说毕他就拿起他的武器，若不是希腊的诸王阻止了他并把他拉了回来，他注定是要死的。

这时涅斯托耳对军队说了一番话，他讲述了他本人当年同阿尔卡狄亚人厄柔塔利翁的决斗并责备说：“如果我还年轻的话，还像那个时候一样有力量的话，那赫克托耳很快就会找到他的对手！”有九位英雄站了起来回答他的责备，首先是阿伽门农，随之是狄俄墨得斯，之后是两个埃阿斯，紧接着是伊多墨纽斯、墨里俄涅斯、欧律皮罗斯、托阿斯和奥德修斯。他们都要进行这场可怕的决斗。“抓阄决定，”涅斯托耳又开始说了，“无论是谁抓到了，希腊人都会高兴的。当他成为这场血战的胜利者时，他本人也会高兴的。”很快准备工作就绪，大埃阿斯抓到了，他兴高采烈地把阄抛到脚下并呼喊道：“朋友们，真的，我抓到了，我的心是快乐的，因为我希望战胜赫克托耳。在我进行武装时，你们为我祈祷吧，不管是默默地还是大声地！”

士兵们听从他的话，他很快就冲到阵前，巨大的身躯穿着锃光闪亮的铠甲，活像威风凛凛的战神。所有希腊人都为这一景象欢呼起来，特洛伊的士兵都感到惊恐不安。

大埃阿斯手执铁制的、蒙上七层皮革的盾牌走向赫克托耳。当走到赫克托耳的面前时，他威胁道：“赫克托耳，你清楚，在希腊人中间除了珀琉斯的狮心儿子阿喀琉斯之外，还有很多英雄。让我们开始这场流血的战斗吧!”赫克托耳回答他说：“忒拉蒙的神一般的儿子，不要把我当作一个软弱的孩子或一个不会打仗的女人。男子汉的战斗我早就熟悉了。开始吧，我不会偷偷地把我的长矛投向你，勇敢的英雄，看看吧，它能否击中你!”说着，他把投枪飞快地掷了出去。它击中了大埃阿斯的盾牌，射穿了六层皮革，直到第七层才停了下来。现在忒拉蒙的儿子的投枪穿越空气直飞而来，它击碎了赫克托耳的盾牌，穿过了他的胸甲，若不是他快速闪开，投枪就会射入他的腹部。两个人像狂暴的野猪似的冲向对方。赫克托耳的矛刺中大埃阿斯的盾牌中心，但是他的矛尖弯了，没有刺穿铁盾。相反的是大埃阿斯刺透了对手的盾牌，划破了他的脖子，黑色的血喷溅而出。

赫克托耳虽然稍许后退了几步，但他用右手抓起了一块大石头，击中了敌人盾牌的隆起部，盾牌发出了巨响。可大埃阿斯从地上举起一块更大的石头，用力掷向赫克托耳，把盾牌击裂，赫克托耳被打倒在地。但赫克托耳没有丢掉盾牌，隐身的阿波罗在他身旁帮他很快从地上站了起来。

两个人现在本该用剑扑向对方以决胜负，可这时两方的传令官——特洛伊人伊代俄斯和希腊人塔尔堤比俄斯——跑了过来，把木杖横在他俩中间。“孩子们，不能继续战斗了，”伊代俄斯喊道，“你们两个人都是勇敢的，都受到宙斯的喜爱，我们大家都看到了！现在黑夜已来临，听从黑夜的安排。”于是两个人离开了战场。此前赫克托耳把他的银柄宝剑连同剑鞘和装饰华丽的剑扣递给他的对手。大埃阿斯随即从身上解下他的紫色腰带，递给赫克托耳。随后大埃阿斯回到希腊军队，赫克托耳又重新回到特洛伊人队伍。特洛伊人很高兴他们的英雄完好无损地从可怕的大埃阿斯手中返回。

休 战

现在希腊诸王集聚在他们的统帅阿伽门农的军帐里，并决定明日休战，在缔结休战协定之后把在战场死亡的士兵抬下来进行火化。

在另一方，特洛伊人也在他们的宫殿里开会，对决战的前景无不感到担忧。聪明的安忒诺耳提出了他的要求：把海伦及全部财宝交还给希腊人。帕里斯站起来表示反对，他说："如果你的这番话当真，那看来众神确实是使你丧失了理智；但我可以明确地说，我绝不会交出我的女人。他们拿去我从希腊带回来的财宝好了，并且我自愿把我的那些也交出来，作为他们要求得到的赔偿！"

年迈的国王普里阿摩斯在他的儿子讲完后善意地说道："今天我们就不要再说下去了。我们的传令官伊代俄斯明天去希腊人的船营，向他们通知我儿子帕里斯的和平意愿。同时请求他们休战，以便我们把死者火化。如果双方不能达成共识，那随后就再进行战斗。"

事情就这样办了。翌日传令官伊代俄斯出现在希腊人的面前，告知了帕里斯和国王的建议。希腊众英雄听到后，长时间沉默不语。终于狄俄墨得斯说话了："你们希腊人，不要想去拿这些财宝，就算你们得到了海伦，也不要去拿。连头脑最简单的人也看得出来，特洛伊人已经害怕毁灭了。"他的这番话受到了诸王的热烈欢呼，现在阿伽门农对传令官伊代俄斯说："你本人听到希腊人对帕里斯的建议做出的答复了。但焚烧死者的事是不会被拒绝的。"

伊代俄斯返回特洛伊，特洛伊人又重新召开会议。令人高兴的通告很快使全城活跃起来，一部分人去搬运尸体，另一部分人去森林里收集木材。同样的事情也发生在希腊人的船营里。在晨曦的光辉中，敌人和敌人相遇，并排地去寻找死者。白天他们做完了这项工作，晚间双方都回去用餐。但宙斯不让他们得到安宁，整个夜里他都在用响雷去惊扰他们。这雷声不断地响起，像是在向他们宣告灾难的来临。他们陷入恐慌，若是不先向愤怒的众神之父泼洒美酒进行献祭，他们都不敢把酒杯放到嘴边。

特洛伊人的胜利

宙斯暂时做出了另外的决定。“听我说，”他在翌日对召集来的众神说道，“如果谁今天下去帮助特洛伊人或者希腊人，我就把他抓起来，抛到地府下塔耳塔洛斯的深渊里，让他永远不会再回来。”众神对他的话十分畏惧。

宙斯本人则登上他的雷霆神车，驶往伊得山。他坐在这儿的山顶上，欢快而威严地观察特洛伊人的城市和希腊人的船营。双方的男人都在戴盔披甲。特洛伊人虽然数量少些，但他们也渴望战斗。不久他们的城门大开，士兵们蜂拥而出，或徒步或乘战车。整个清晨双方势均力敌，地上血流成河。但当太阳升到天顶时，宙斯把两个死者当作筹码放到他的黄金天平上，在空中加以称量。希腊人的一端向地面倾斜，而特洛伊人的一端则升向天空。

他用一次雷击宣告改变希腊军队的命运。一种不祥的预感使希腊人胆战心惊，那些伟大的英雄开始动摇了。伊多墨纽斯，阿伽门农，甚至两个埃阿斯都不再那么坚定了。只有年迈的涅斯托耳还在战场上战斗，但他也是迫不得已，因为帕里斯用箭把他的马射死了。如果不是狄俄墨得斯及时赶来并把他拉到自己的战车上的话，那这个高贵的老人肯定丧命。随即狄俄墨得斯奔向赫克托耳。

狄俄墨得斯掷出了他的长矛，虽然没有击中赫克托耳，却射穿了他的驭手厄尼俄剖斯，他随即栽于轭（è，牛马等拉东西时架在脖子上的器具）下。赫克托耳为朋友的死感到悲痛，他把他放好，招来另一位英雄来驾驭他的战车，直向狄俄墨得斯冲去。如果赫克托耳与堤丢斯的儿子进行较量的话，那他肯定会丧生的。好在宙斯知道得很清楚，若是赫克托耳倒下，那战局就会急转直下，希腊人在今天就会占领特洛伊城。宙斯不愿意这样，于是他向狄俄墨得斯战车前抛去一道闪电，亮光直射入地下。涅斯托耳惊恐万分，缰绳从手中掉下，他说："快，狄俄墨得斯，掉转马头，赶快逃命。难道你看不出来，宙斯让你今天无法得到胜利吗？"——"你说得对，老人，"他回答说，"但我感到多么愤怒啊，因为赫克托耳会在特洛伊人的聚会上说，堤丢斯的儿子在我马前逃之夭夭，跑回船营去了！"语毕他驱马逃走，赫克托耳与特洛伊人在后面追赶，他喊道："堤丢斯的儿子，希腊人在集会上和宴会上看重你，可他们今后会蔑视你，像蔑视一个胆小的女人一样！那个要占领特洛伊和把我们的女人用船载走的人不会是你了！"狄俄墨得斯在想，是否掉转马头，与这个嘲笑者决一死战，但宙斯的响雷从伊得山传来，十分可怕。狄俄墨得斯策马逃走，赫克托耳在后面紧追不舍。

看到这种情形赫拉忧心忡忡，她要说服希腊人的特别守护神波塞冬去帮助他们，但是她失败了，因为波塞冬不敢反抗他那强大的兄长所说的话。现在逃跑的人到了船营前的围墙和壕沟，若

不是被赫拉鼓起勇气的阿伽门农把惊慌失措的希腊人集合在自己身边的话，那赫克托耳肯定会冲进来并把火把投进希腊人的船营。

阿伽门农进入奥德修斯那艘巨大的船里，它位于中间，高于其他所有船只，他站在甲板上，向逃跑的人喊道："可耻啊，你们这些该诅咒的家伙，现在你们英雄般的勇敢哪儿去了？你们这些喝酒时吹牛皮的人！现在在赫克托耳面前，我们都成了一群废物，不久他就会把我们的舰船烧成一片灰烬。哦，宙斯，你把怎样的诅咒加于我的身上！如果说我曾用祈祷和祭品表达了我对你的尊敬，那就让我现在至少能躲避和逃走，不要在舰船这儿被特洛伊人的武力征服！"他泪流满面地叫喊，这使众神之父也起了恻隐（对受苦难的人表示同情；不忍）之心，于是从天上给了希腊人一个吉兆：派来了一只鹰，它的巨爪中攫着一头幼鹿，投落在宙斯的神坛前面。

这个征兆使希腊人力量大增，他们重新迎向蜂拥而来的敌人。狄俄墨得斯驱使他的战马带头跃过壕沟冲向特洛伊人阿革拉俄斯，阿革拉俄斯在他面前掉转战车准备逃跑，但狄俄墨得斯的长矛刺穿了他的后背。阿伽门农和墨涅拉俄斯随着冲到前面，两个埃阿斯紧跟在他们身后，随后是伊多墨纽斯和墨里俄涅斯，还有欧律皮罗斯。

现在透克洛斯上来了，他用弓箭把一个又一个特洛伊人射倒在地。他已射杀了八个敌人，这时阿伽门农向他投去火热的目光并朝他喊道："高贵的朋友，就这样射下去，你是希腊人的光明！如果宙斯和雅典娜同意我们毁灭特洛伊，那你就是第一个我要授予荣誉赠礼的人！"——"国王，你不需要老是鼓励我，"透克洛斯回答他说，"我不会吝惜我的全部力量！我只是没有成功地射杀那只疯狗!”说着他就向赫克托耳射出一箭，但没有射中，仅是射杀了普里阿摩斯的一个庶子。第二箭由于阿波罗的导引，赫克托耳得以逃脱死亡。赫克托耳现在狂暴地冲向透克洛斯，正当透克洛斯重又向他弯弓时，他用一块长长的带有棱角的石头击中了透克洛斯的锁骨。透克洛斯的肌腱断了，手也麻木了，他跪倒在地。但大埃阿斯没有忘记他的兄弟，他守卫在他的身边，用他的盾牌长时间地保护他，直到两个朋友把大声呻吟的透克洛斯抬回船上。

但现在宙斯又重新鼓起特洛伊人的勇气。赫克托耳两眼闪闪发光，愤怒地冲在最前面去追赶希腊人。希腊人又被压迫到船边，畏惧地向他们的神祇祈求。赫拉不忍心了，她转向雅典娜并说道：“我们还能一直不去拯救面临死亡的希腊人吗？难道你没看到，赫克托耳在下界的屠戮是多么残忍？他已经杀得血流成河了!”——“是的，我的父亲太残忍了，”雅典娜回答说，“他完全忘了，我们是怎样忠诚地帮助他的儿子赫拉克勒斯冒险的了。那个狐媚子忒提斯已经用她的曲意奉承讨得了他的欢心。他变得讨厌起我了。赫拉，帮助我套上车，我要到伊得山去见他!”

宙斯一发现这件事就大发雷霆，当载着两个女神的车刚要穿越奥林匹斯圣山的第一道门时，宙斯的女使者伊里斯迅速赶来加以阻止。她们听从宙斯的怒气冲冲的指示，掉转车头返了回来。不久宙斯本人乘着雷车出现了，众神之山的顶峰由于他的临近而震颤不止（侧面描写，通过写顶峰的震颤，表现宙斯的威严）。他对妻子和女儿的请求置之不理。“你明天还要看到特洛伊人的更大胜利，”他对赫拉说，“直到希腊人惊恐万状，聚集在他们舰船的舵盘四周进行战斗，愤怒的阿喀琉斯在他的帐篷里重新挺身而起时，威武的赫克托耳才会在战斗中停下来。这就是命运的意志。”

这期间赫克托耳在船边召集他的战士，他说：“如果不是黑夜到来，敌人现在就会被消灭。我们不要返回城市，而应赶快把牛羊赶来，还要把美酒和面包从家里运来。在我们四周点上营火以防敌人的袭击，这同时我们进餐和护理伤员。天一破晓，我们就重新向舰船发起攻击。我要看看，是狄俄墨得斯把我逼回到城墙下，还是我把他的铠甲从尸体上剥下！”特洛伊人大声向他欢呼。他们整夜都在休息，成千上万堆营火保护他们。他们大吃大喝，他们的马匹在挽具旁嚼食着小麦和大麦。

希腊人的使者去见阿喀琉斯

在希腊军营里，逃跑的恐惧还没有平息下来，这时阿伽门农把诸王秘密找来开会。他们不久就忧郁地坐到了一起。这位统帅深深地叹了叹气，对诸王说道：“朋友们，宙斯使我陷入深深的愧疚之中。他的吉兆预示我在消灭特洛伊之后能以胜利者的身份凯旋，可他欺骗了我，并命令我耻辱地返回故国。我们不能违反他的意志，他毁灭了那么多的城市，并且还要毁灭更多，我们不应当占领特洛伊。我服从他，让我们登上快船逃回我们父辈居住的地方！”

希腊的英雄们听到这番悲哀的话后都长时间沉默不语，满面愁容。终于，狄俄墨得斯说话了。“刚才你还在希腊人面前辱骂我没有勇气，缺少胆量，”他说道，“哦，国王，但现在我觉得，宙斯给了你统治国家的权力，却没有给你勇气。你真的认为，希腊的男子汉都像你说的那样不堪一战吗？好吧，如果你的心那样急于返乡，那你就走吧！路是敞开的，船是备好的！我们其他的希腊人要留在这儿，直到把普里阿摩斯的宫殿摧毁为止。即使你们大家都要离开，我和我的朋友斯忒涅罗斯也要留在这里继续战斗，我相信，是神祇领我们到这儿来的!”英雄们听到这番话后都欢呼起来，涅斯托耳这时说：“哦，年轻人，你可以成为我的小儿子，你讲得头头是道。来吧，阿伽门农，给诸王摆下宴席，你的帐篷里有足够的美酒。那些守卫的人埋伏在壕沟外，而你在举杯时要听从民族中精英们的劝告。”

于是事情就这样进行了。诸王在阿伽门农这里欢宴，宴毕涅斯托耳又在会议上说道：“阿伽门农，你知道，从你违反我们的意愿把布里修斯的美丽女儿布里塞伊斯从愤怒的阿喀琉斯的帐篷里夺走之日起，都发生了什么事情。现在是时候了，我们该想一想如何去使这颗受伤的心得到安慰。”

“你说得对，老人，”阿伽门农回答说，“我犯了错误，我承认。我愿意弥补，并给予受侮辱者以尽量多的赔偿：十塔兰同黄金，七座三脚鼎，二十个盆，十二匹马，我从勒斯玻斯亲自夺来的七个美女，最后还有温柔的布里塞伊斯姑娘。尽管我从阿喀琉斯那里把她带走，但她一直受到尊敬，对此我以神圣的誓言做证。当我们占领特洛伊并分配战利品时，我要把他的船装满黑铁和黄金，他可以挑选除海伦外二十个最美的特洛伊女人。当我们返回希腊时，他可以选择我的一个女儿作为妻子。他将成为我的女婿，我要像对待我唯一的亲生儿子俄瑞斯忒斯一样对待他。我要给他七座城市作为新娘的嫁妆。只要他火气消了，这一切我都去做。”

“真的，”涅斯托耳回答他说，“你答应给阿喀琉斯的礼物不算少了。我们一会儿就派精英人物到愤怒的英雄的帐篷里去，福尼克斯带头，还有大埃阿斯、高贵的奥德修斯以及随同前往的传令官荷狄俄斯、欧律巴忒斯。”

在一次隆重的祭祀之后，由涅斯托耳挑选出的英雄离开了会场，随后不久他们就到了密尔弥多涅斯人的舰船那里。他们找到了阿喀琉斯，他正在弹奏一支精美的带有银制琴马的竖琴，并吟唱英雄们的赫赫战功。他的朋友帕特洛克罗斯坐在他的对面，聆听他的歌唱。当阿喀琉斯看到来人时，他急忙从座位上立起身来。帕特洛克罗斯也站了起来，两个人向他们迎去。阿喀琉斯握住福尼克斯和奥德修斯的手喊道："忠实的朋友，很高兴看到你们！你们肯定是因为遇到了某种麻烦而来找我，我爱你们胜过所有希腊人，尽管我仍恼怒不止，我还是欢迎你们。"

阿喀琉斯很快就摆上了宴席，他们又吃又喝。奥德修斯为阿喀琉斯干了一杯并说道："祝你健康，阿喀琉斯，你的宴席丰盛，但这美味佳肴并不是我们所渴求的，巨大的不幸使我们来到你这儿。你是否跟我们走，现在正关系到我们的得救或者我们的灭亡。特洛伊人已逼近围墙，正威胁着我们的舰船。赫克托耳得到了宙斯的信赖，眼睛里充满了杀戮的欲望，他在大开杀戒。你要挺身而出解救希腊人。制止住你心灵的骄傲，相信我，友情胜于争吵。"随后奥德修斯一一列举了阿伽门农为了赎罪而向他献上的大批礼物。

阿喀琉斯却回答说："拉厄耳忒斯的高贵儿子，我必须用'不'来回答你美好的言辞。我憎恶阿伽门农就像憎恶地狱之门一样，不论是他还是别的希腊人都不能说服我重新回到他们中间去进行战斗，因为我从未得到过对我的战功的酬谢。像一只宁愿自己挨饿的母鸡为它的幼雏送上找到的食物一样，我度过无数个不宁之夜和血腥的白昼，竟是为这个忘恩负义的人去夺取一个女人。我所得到的，都交给了阿特柔斯的儿子，但他把大部分归为己有，只把少部分分给其他人。他甚至把我最喜爱的战利品也抢走。为此我明天要向宙斯和众神献上我的祭品；在天破晓时我的舰船就要在赫勒斯蓬托斯海上航行，三天之后我希望回到我的家中。他已经欺骗了我一次，第二次他就骗不了我了，他够得意的了！你们回去把这个消息告诉他，但福尼克斯留下来，如果他愿意的话，可以和我一同乘船回故乡去。”

福尼克斯无法劝动他的老朋友和领袖，这位年轻的英雄改变了想法。这时大埃阿斯站了起来说道：“奥德修斯，让我们走吧，残忍的人胸中没有温情。伙伴的情谊感动不了冷漠无情的人，他胸中有的是一颗冷酷的心！”奥德修斯也从餐桌旁站了起来，在他们向众神行了祭祀礼之后就同传令官一起离开了阿喀琉斯的帐篷，只有福尼克斯留了下来。

奥德修斯从阿喀琉斯的帐篷那里带回来令人沮丧的消息，阿伽门农和诸王都一言不发。他们彻夜不眠，有两位英雄在破晓前就心怀恐惧地起身了，墨涅拉俄斯到帐篷中去把诸王唤醒，而阿伽门农则到了涅斯托耳的住处。他发现老人还在软榻上休息，铠甲、盾牌、头盔和两支长矛都放在旁边。老人从梦中惊醒，他用肘部支撑住自己，向阿伽门农喊道：“你是谁？在黑夜里人们都在睡觉，你却在漆黑的夜里孤身一人在舰船中间游荡，你是在找一位朋友还是一匹走失的驴子？说话，你这沉默的人，你在找什么？”——“是我，涅斯托耳，”那个人轻声地说话，“我是阿伽门农，是被宙斯陷于灾难深渊的阿伽门农。我的眼睛无法闭合睡眠，我的心在跳动，我的四肢在为希腊人而恐惧得发抖。让我们去守卫人那儿看看，他们是不是都没睡觉。我们中没有人知道，敌人会不会在夜里进行一次攻击！”

涅斯托耳急忙穿上羊毛内衣，披上紫色斗篷，拿起长矛，与国王一齐在舰船中间巡视。他们先唤醒了奥德修斯，一听到召唤他立即背上盾牌跟在他们身后；随后涅斯托耳走进狄俄墨得斯的帐篷，用脚跟触动他的脚，责备地把他唤醒。“不知疲倦的老人，”这位英雄睡眼惺忪地说道，“你总是静不下来！不是有不少年轻人夜间在军中巡视并随时叫醒睡眠中的英雄吗？可你总是控制不住自己，老人！”——“你说得有理，”涅斯托耳回答他说，“我有足够的人可用，再加上我那些出色的儿子，他们都能承担这项工作。但是希腊人的忧心事太多了，我的心要求我做的，我自己做不过来。你们已面临生死关头，因此你要站起来，帮助我们把大埃阿斯、费琉斯的儿子墨革斯唤醒！”狄俄墨得斯立即披上他的狮皮，唤来要找的英雄。他们聚集在一起去查看守卫者，他们中没有一个在睡觉，所有的人都全副武装、精神抖擞地坐在那儿。

希腊人的第二次溃败

已是清晨了。阿伽门农命令士兵束紧腰带，穿上铠甲，准备战斗。赫拉和雅典娜用欢快的响雷从天上向身穿华丽装束的国王致意。徒步的士兵们首先挥舞铁制武器蜂拥而出越过壕沟，随后是乘坐战车的巨人，整个队伍大声呐喊着向前冲去。在另一方，特洛伊人聚集在一起，守在战场的一座山丘上。他们的领袖是赫克托耳、波吕达玛斯和埃涅阿斯，与他们在一起的还有波吕玻斯、阿革诺耳和阿卡玛斯——安忒诺耳的三个勇敢的儿子。赫克托耳像黑夜天际中的一颗明星（用夜空中的明星来比喻赫克托耳，生动形象地写出赫克托耳在特洛伊军队中的领袖形象），他时而出现在最前列，时而穿越最外层的队伍指挥战斗。

很快特洛伊人和希腊人开始面对面地进行厮杀；人头攒动

（拥挤着移动。攒，cuán），拥在一起大砍大杀，双方的士兵都像狼一样嚎叫奔跑。终于，希腊人用他们的力量冲破了敌人的阵线。阿伽门农带头开路，他刺死了比厄诺耳及其驭手，随后扑向普里阿摩斯国王的儿子安提福斯和他的驭手伊索斯。希腊士兵越来越深入，像林中的一条火带在暴风中蔓延开来一样（运用比喻的修辞手法，生动形象地写出希腊士兵深入的速度之快）。

依照宙斯的指点，赫克托耳穿过战场急忙向城市逃去，但阿伽门农在后面大声喊叫，紧追不舍。赫克托耳终于到达了离斯开亚城门不远的宙斯山毛榉丛旁，这时他及与他一齐溃逃的人站住了。宙斯派遣他的使者女神伊里斯前来命令他，只要阿伽门农冲在前面，那他就追到后面，让其他人进行战斗，直到阿特柔斯的这个儿子受伤，那时他再出面，众神之父会再次帮助他取得胜利。

赫克托耳听从了宙斯的吩咐。他召唤他的战士进行战斗，厮杀又开始了。阿伽门农冲在前面，在特洛伊人及其同盟者之间横冲直撞。他首先碰上了安忒诺耳的儿子伊菲达玛斯，这是个身材高大、威武有力的英雄。阿伽门农的长矛没有刺中，而伊菲达玛斯的矛头因刺到敌人的腰带而弯曲了。现在阿伽门农抓住对手的长矛，把它从手里扯出并用宝剑刺穿他的脖子。阿伽门农解除了他的武装，手执他的华丽铠甲在希腊人的队伍中炫耀自己的胜利。这时安忒诺耳的大儿子科翁——特洛伊的一个很受称赞的战士，一看到他就奔了过来。兄弟的死使他怒火中烧，但悲痛并没有令他失去理智。他趁阿伽门农没有注意他的时候，就从旁用长矛刺中阿伽门农的手臂中部紧靠肘弯的地方。阿伽门农感到全身突然颤抖，但他依然奋不顾身地继续战斗；当科翁握住他兄弟的脚试图从死人堆中将尸体拖出来时，阿伽门农的长矛从盾牌下面刺穿了他，于是他动也不动地躺倒在兄弟的尸体旁边。

阿伽门农继续用长矛、宝剑和石头在特洛伊人中间进行屠杀。但剧痛越来越厉害地折磨他，他不得不跳上他的战车，命令他的驭手返回船营。

当赫克托耳看到阿伽门农逃离时，他想到了宙斯的命令，于是急忙跑到特洛伊人和吕喀亚人的前方队伍中，大声疾呼："朋友们，你们是男子汉大丈夫，起来战斗！希腊最勇敢的人已经逃走，宙斯赋予我胜利的荣誉。起来，到希腊人中间去，催动战马，我们会赢得更大的荣誉！"话毕他就像一阵狂风一样，带头冲到敌人中间，在很短时间就有九个希腊英雄和许多普通士兵死于他的手下。他已经把逃跑的士兵逼向舰船，这时奥德修斯提醒狄俄墨得斯："我们能忘记抵抗吗？靠近些，朋友，紧挨着我，让我们来阻止赫克托耳占领我们的船营！"

狄俄墨得斯朝他点了点头并用投枪刺穿了特洛伊人廷布赖俄斯的胸膛，使他从车上栽倒在地；奥德修斯则杀死了他的同车伙伴摩利翁。他们继续在敌人中间横冲直撞，希腊人又可以松一口气了。还在伊得山上俯瞰的宙斯让战事左右摇摆，保持平衡。赫克托耳终于穿过人群看到这两个疯狂的英雄，于是同他的士兵扑了上去。狄俄墨得斯及时地看到了他，就把投枪掷向他的盔顶。投枪滑落一旁，赫克托耳急忙返回士兵中间，跪倒在地，他的右手撑住地面，眼前一片昏黑。这时狄俄墨得斯飞奔过去抢自己的投枪，赫克托耳乘机跳上他的战车，得以逃生，跑回到他的士兵之中。狄俄墨得斯恼怒地转向另一个特洛伊人，把他打倒在地，准备去剥下他的铠甲。

帕里斯利用这个时机，躲在伊罗斯墓碑后面，射中了单膝着地的狄俄墨得斯的脚跟。箭射穿了他的脚跟，紧紧钉入肉里。帕里斯从后面笑着跳了出来并大声地嘲弄他的敌人。狄俄墨得斯环顾四周，当他看到这个射手时，他朝帕里斯喊道："你就是那个抢夺女人的家伙？你从不敢面对面地同我进行公开的较量，现在却夸耀，你从后边射伤了我的脚？这对我没有关系，就像一个姑娘或一个孩子射中了我一样！"这期间奥德修斯奔了过来，挡在受伤者前面，狄俄墨得斯十分疼痛，但他安全地把箭从脚上拔了出来。随后他跃上战车，坐在他的朋友斯忒涅罗斯身边，驶回他的舰船。

现在只有奥德修斯一个人留在密集的敌人中间。突然特洛伊人把他包围起来。他果敢地迎敌，在短暂的时间里，有五个特洛伊人死在他的武器之下。这时来了第六个，他叫索科斯，奥德修斯刚刚杀死了他的兄弟。他喊道："奥德修斯，今天不是你赢得杀死希帕索斯的两个儿子和夺取他们武器的荣誉，就是你在我的长矛下丧命！"随之他就刺穿了奥德修斯的盾牌，伤到了他肋骨的皮肤；雅典娜不让矛头刺得更深。奥德修斯先是后退稍许，随即扑向敌人，索科斯转身逃跑。奥德修斯刺穿了他的背部和肩部的中间，使他栽倒在地，一命呜呼。随后奥德修斯从敌人伤口中抽出自己的长枪。特洛伊人一看到他，就朝他围了过来，他连连后退并一连三声大呼求救。

墨涅拉俄斯首先听到了求救声，于是向他身边的大埃阿斯喊道："让我们冲到敌人中间去，我听到了奥德修斯的喊叫声！"两个人很快就赶到奋力坚持的奥德修斯身旁，看到他挥舞长枪在同无数的敌人进行战斗。大埃阿斯的盾牌像一堵巨墙一样挡在奥德修斯前面，特洛伊人一看到他便吓得发抖。墨涅拉俄斯乘机抓住奥德修斯的手，帮他登上战车。

这期间赫克托耳战斗在正面战场的左翼，在斯卡曼德洛斯河岸边大开杀戒。若不是帕里斯的一支三棱箭射中希腊人的伟大医生玛卡翁的右肩的话，那希腊的英雄是不会在赫克托耳面前退却的。这时伊多墨纽斯惊恐地喊道："涅斯托耳！快把玛卡翁扶到车上！一个能治疗箭伤和减轻伤痛的医生胜过一百个普通的英雄！"涅斯托耳急速驱动他的战车，带上受伤的玛卡翁，两个人飞奔回船营。

在路上他们经过心怀愤怒的阿喀琉斯，他坐在船的后甲板上，平静地在观察他的同胞如何被特洛伊人追杀。他呼叫帕特洛克罗斯，没有想到，他的话造成他的朋友的不幸，他说："去看看，帕特洛克罗斯，那儿的涅斯托耳把哪一个受伤的人带出了战场；因为不知为什么，我的心灵对希腊人产生了怜悯之情！"帕特洛克罗斯听从吩咐，跑向舰船。当涅斯托耳注视到门口的英雄帕特洛克罗斯时，就从椅子上跳了起来，用手抓住他，亲切地让他坐下。可帕特洛克罗斯说："不需要了，尊敬的老人！阿喀琉斯派我来只是想看看，你带回来的伤员是谁。现在我已经认出来了，是精通医术的英雄玛卡翁，我要赶快回去告诉他。你知道我朋友的急性子，就算是无过失的人也会轻易地受到他的责备。"

但涅斯托耳用深沉感人的言辞回答他说："阿喀琉斯的心真的这样关心受到致命枪伤的希腊人？所有勇敢的人都躺在舰船的周围：狄俄墨得斯受了箭伤，奥德修斯和阿伽门农受了枪伤，我刚才从战场上带回的这个无比珍贵的人为弓箭所伤！但阿喀琉斯却不知道同情！他也许在等待我们的舰船在海边化为灰烬，我们希腊人一个接一个地倒在血泊之中吧？"帕特洛克罗斯为涅斯托耳的话所感动，他急忙跑回阿喀琉斯那里。

围墙四周的战斗

希腊人在他们舰船四周挖沟筑墙，可没有进行献祭，这激起了众神的愤怒。因此围墙也无法保护他们，不能长时间地坚如磐石（像大石头一样坚固，比喻不可动摇。磐，大石头）。现在，在特洛伊人遭受围困的第十个年头，波塞冬和阿波罗决定，把这个建筑摧毁，使山洪灌入，让海水冲击，但在特洛伊毁灭后才能这样做。

现在在这巨大的建筑四周正进行着激烈的战斗。赫克托耳像一头雄狮一样在士兵中奔来跑去，鼓舞他们的斗志，去穿越壕沟。但没有一匹战马敢这样做，它们一到壕沿就嘶叫着竖立起来，畏缩不前，因为壕沟太宽太陡无法越过，此外下面还栽有密密麻麻的尖木桩。只有步兵才能设法通过。当波吕达玛斯看到这点时，就去与赫克托耳进行商议，他说："若是我们用战马的话，那我们肯定完蛋，会不光彩地死在沟底。因此我们让驭手把马停在这儿。我们组成一个步兵群，在你的率领下越过壕沟，突破围墙。"

赫克托耳接受了这个建议。按他的命令，所有的英雄都从战车上跳了下来，只留下驭手。他们组成五支队伍，第一支由赫克托耳和波吕达玛斯率领，第二支由帕里斯指挥，统领第三支的是赫勒诺斯和得伊福玻斯，第四支由埃涅阿斯带领，萨耳珀冬和格劳科斯率领的同盟军是第五支军队。其他英雄则协助诸王。只有阿西俄斯一个人不愿意离开他的战车。他率领他的人杀向左边，希腊人在那里留有一条为自己的马匹和战车出入的通道。他看到大门在敞开，因为希腊人在等待，看是否还有最后从战场逃回营中的伙伴。这样阿西俄斯掉转战马直向通道冲去。其他特洛伊人徒步跟在后面大声呐喊。但通道由两位勇敢的英雄守卫，他们是庇里托俄斯的儿子波吕波厄忒斯和勒翁透斯。他们迎向蜂拥而来的特洛伊人，从围墙和坚固的塔楼上抛下雨点儿般的石头。

就在阿西俄斯和他周围的人进行这场艰苦的不期而遇的战斗的同时，其他人也在浴血奋战，他们徒步冲过壕沟，围攻希腊人的其他营门。只有由赫克托耳和波吕达玛斯率领的众多的也是最勇敢的特洛伊人犹豫地停留在他们刚才登上的沟岸，因为在他们的眼前出现了一种不祥的征兆。一只鹰在士兵的左上方盘旋，它的利爪中抓着一条红色的挣扎不已的蛇。这条蛇在鹰爪中进行反抗，把头转到后面，咬住了鹰的脖颈。鹰痛得厉害就把蛇扔下逃走了。这条蛇正好落在特洛伊士兵中间，他们惊恐地看到它卧在土里，并认出了这是宙斯给的一个征兆。

“我们不要深入了，”波吕达玛斯恐惧地朝赫克托耳喊道，“这会像那只鹰一样，无法把它的猎物带回家里。”但赫克托耳阴沉地回答说：“鹰与我们有什么关系？管它落到左边还是右边呢！我只认识一种真的征兆，那就是拯救祖国！”说完赫克托耳就冲到前面，其他所有的人都紧随其后，大声嘶喊。这时宙斯从伊得山上向下吹来一阵巨大的风暴，飞沙走石，直扑向船营，这使希腊人气馁，斗志消沉。但特洛伊人信赖雷神和自己的力量，奋勇登先，冲破了希腊人的工事，毁掉了塔楼的围墙，并开始用撬棍推倒围墙的高耸的柱石。

然而希腊人并没有从阵地上退让。他们像篱笆一样把他们的盾牌架到围墙上，用石头和弓箭迎击冲向围墙的特洛伊士兵。两个埃阿斯轮流在墙上为战斗在塔楼上的士兵鼓劲，对勇敢者大加称赞，对软弱者厉声恫吓。这期间石头如飘雪般落下，若不是宙斯激励他的儿子萨耳珀冬像一头饥饿的狮子一样扑向敌人的话，那赫克托耳和他的特洛伊人还是一直冲不破这道坚固的防线。萨耳珀冬同格劳科斯一起带领他的人径直地冲向前去。

墨涅斯透斯看到他们愤怒地逼近并把他的人大批杀死时，感到非常惊恐。他畏惧地环视四周，指望其他英雄前来援救。他看到了远处的两个埃阿斯和稍近一些刚从帐篷返回来的透克洛斯，可他的喊声传不到那么远，他敲打头盔和盾牌，响声却被战场上的厮杀声吞没了。于是他派传令官托俄忒斯去两个埃阿斯那里，请求他们来解救。他们很快决定沿着围墙直奔而来。

正当吕喀亚人登上围墙时，两个埃阿斯到了墨涅斯透斯的身边。大埃阿斯立即从围墙上折下一块锋利的大理石击碎萨耳珀冬的一个朋友厄庇克勒斯的头盔和脑袋，他翻下塔楼死去。而透克洛斯刺伤了正好登上墙头的格劳科斯的赤裸的手臂。格劳科斯偷偷地跳下墙去，以免让希腊人看见。萨耳珀冬伤心地看到他的兄弟退出了战场，但他本人继续前进，用长矛刺中阿尔克迈翁，并用全力摇动围墙，使它崩裂。墙坍塌了，成为许多人的一条通道。

战斗的天平长时间摇摆不定，最终宙斯使赫克托耳占了上风。他逼近围墙的大门，他的士兵紧跟在他的后面。大门紧闭，用两个门闩闩住，一块厚厚的、上端尖尖的崖石把门顶住。赫克托耳用超人的力量把崖石从地面搬起，用来击碎了门枢和门板，于是大门闷声倒下。赫克托耳身穿亮得吓人的铠甲，两眼炯炯闪光，直冲进希腊军营。他身后的士兵蜂拥冲进敞开的大门，另一批成千上万的士兵则援墙而上。希腊人一片惊惶，他们都逃往舰船。

为舰船而战

当宙斯使特洛伊人获得这么大的胜利时，他把希腊人继续留在灾难里。他坐在伊得山顶，把目光从船营移开，冷漠地移向特剌刻。

这期间海神波塞冬并没有闲着，他坐在草木葱茏的萨摩特剌刻岛的最高山峰上，在这儿伊得山和整个特洛伊及希腊人的船营都尽收眼底。他悲哀地看到在特洛伊人面前，希腊人卧在血泊之中。他离开嶙峋的山岩，迈开了使丘陵和森林震颤的四大步，就到了埃盖的海岸，在海底深处坐落着他那永远闪烁着黄金光华的宫殿。他在这里束上他的黄金铠甲，套上黄金鬃毛的战马，握起金鞭，跃上他的宝车，掉转马头在海水上面行驶。海怪认得这是他们的主人，都从礁石的缝隙中跳出来，欢快地把波浪分开，不让车轴沾水。波塞冬到了位于忒涅多斯和印布洛斯岛之间的一处深深的洞穴，希腊人的舰船就在这附近。他在这儿把战马卸下，用金镣套上马脚，给它们喂精美的饲料。他本人急速钻入聚集在一起的士兵之中。特洛伊人像一股飓风一样围在赫克托耳四周，狂暴地呐喊，他们现在正力图夺取希腊人的战船。

波塞冬混在希腊人的士兵中间，他装扮成预言家卡尔卡斯，个头和声音极为相似。他先是朝两个斗志旺盛的埃阿斯喊道："你们两位英雄，只要想到你们的力量，那就能拯救希腊士兵。在其他地方，特洛伊人的进攻并不使我担心，集结在一起的希腊人能守得住。我只是不放心这儿，因为狂暴的赫克托耳像一团烈火一样在肆虐。愿一个神祇赋予你们力量去进行抵抗，也去激励他人的思想。"随后波塞冬用他的神杖击打了他们一下，并像一只隼一样飞出他们的视线。

俄琉斯的儿子小埃阿斯先认出了他。他对他的同名兄弟说："这不是卡尔卡斯，是波塞冬，我是根据他的脚步和大腿认出的。现在，我的内心深处要求我去进行决战。我的双脚和双手已变得急不可耐!”忒拉蒙的儿子大埃阿斯回答他说:“我紧握长矛的双手也在剧烈地震颤,我的灵魂在使我上升,我的双脚要飞翔。与赫克托耳单独进行决斗的渴望在攫住我不放!”

这期间波塞冬跟在他们后面去激励那些由于哀伤和疲惫而在船边休息的英雄。他斥责他们,直到所有的勇士都集结在两个埃阿斯周围,他们镇定地等待着赫克托耳和他的战士。长矛接着长矛,盾牌连着盾牌,头盔靠着头盔,战士挨着战士。头盔上的羽饰相互触摸,战士聚集在一起,严阵以待。可特洛伊人也以全力蜂拥而来,赫克托耳冲在前面。“停下来,特洛伊人和吕喀亚人,”赫克托耳向后面喊道,“那些列成阵势的希腊士兵不会坚持多久的。他们将在我的长矛前面退却,雷神肯定在引导我们!”他用这样的话来激起他的士兵的勇气。

在此期间其他的战斗在继续,人人都大声呐喊。而波塞冬却跑到帐篷中,去把希腊人的斗志更加旺盛地煽动起来。

这时他遇到伊多墨纽斯,他把一个受伤的朋友送到医生这儿,现在正在帐篷里寻找他的长矛。海神化身为安德赖蒙的儿子托阿斯,走近他并用响亮的声音说:“克瑞忒国王,你们的勇气哪儿去了?凡是今天自动退出战斗的人永远不能从特洛伊回到家里,狗该把他撕成碎片!”——“说得对,托阿斯。”伊多墨纽斯朝着匆匆离去的神祇喊道,他从帐篷里找出两根长矛,手执更尖利的武器,急速奔向战场。

伊多墨纽斯尽管已鬓发斑白,却依然不停地鼓励希腊人,很快他就像一个年轻人那样受到了战士们的欢迎。他的投枪投中的第一个人是俄特律俄纽斯,此人是普里阿摩斯国王的女儿卡珊德拉的求婚者,站在特洛伊一边进行战斗。这时阿西俄斯冲了过来,要为死者复仇。可正当他抬臂准备掷出长矛时,伊多墨纽斯的长枪击中他的下颏，穿进咽喉，从颈部透出，他栽倒在战车前死去。

随之得伊福玻斯扑向伊多墨纽斯，向这个克瑞忒人掷出武器。被战斗的激情点燃，伊多墨纽斯现在向对手提出挑战进行单独决斗。这当儿他完全躲在他的盾牌后面，一杆投枪从他上方倏地飞了过去，只把他的盾牌击得发出响声，却刺穿了许普塞诺耳的胸部。得伊福玻斯考虑片刻，他在想是接受单独决斗，还是找另一个勇敢的特洛伊人帮忙。他觉得还是后一种方法更好些，很快他就把他的姻兄埃涅阿斯领来对付伊多墨纽斯。伊多墨纽斯看到两个强大的英雄奔向自己，他毫不畏惧，一点儿不像孩子似的向后退缩，而是等待他们，像是野猪在等待猎狗一样。他也招呼在附近作战的英雄前来，于是阿法柔斯、阿斯卡拉福斯、得伊皮洛斯和安提罗科斯立即集结在他的四周。这同时埃涅阿斯也把他的伙伴帕里斯和阿革诺耳喊了过来，特洛伊士兵像羊群跟着公羊一样尾随他们而来。

不久长枪叮当作响，战斗从两个人的单独决斗变成了一场混战。埃涅阿斯首先向伊多墨纽斯投出他的长矛，但它从这位英雄的身边滑落。相反的是，伊多墨纽斯却击中了俄诺玛俄斯的身体，使他倒地死去。胜利者只来得及从尸体中拔出他的长矛，箭矢纷纷向他射来，他不得不决定逃走。

其他人在继续战斗。埃涅阿斯击中了阿法柔斯，安提罗科斯击中了托翁。特洛伊人阿达玛斯没有击中安提罗科斯，很快死于墨里俄涅斯的矛下。希腊人得伊皮洛斯被赫勒诺斯用剑砍中额头，踉踉跄跄。墨涅拉俄斯悲痛地把他的枪向赫勒诺斯投去，这当儿赫勒诺斯正弯弓向他射来。墨涅拉俄斯的投枪击在普里阿摩斯儿子的盾牌上，滑落一旁。赫勒诺斯的箭矢也落空了，墨涅拉俄斯的长矛投中了他还擎着弓的手，赫勒诺斯就拖着这支长矛逃回到他的朋友们中间。他的战友阿革诺耳从他手上拔出武器，从一个伙伴的投石器上扯下皮带，为这个预言家包扎伤口。

现在厄运把特洛伊人珀珊德洛斯带到英雄墨涅拉俄斯的对面。墨涅拉俄斯的投枪没有击中，这同时珀珊德洛斯把长矛奋力刺到敌人的盾牌上。墨涅拉俄斯抽出宝剑，珀珊德洛斯从盾牌下举起他的长柄战斧，两个人厮杀在一起。特洛伊人只是击中了头盔的尖顶，而墨涅拉俄斯闪电般地出击，砍裂了敌人鼻子的骨头，使他倒地死去。墨涅拉俄斯从死尸上剥下溅满鲜血的铠甲，并把它交给他的朋友，随后他又冲到前方，再去寻找敌人。

战斗在继续，赫克托耳没有预料到，在船营左翼，胜利在倾向希腊人一边。他跑到那里首先冲进城门和围墙建得最低的地方。他所向披靡，冲入希腊队伍之中。一开始玻俄提亚人、忒萨利亚人、罗克里斯人和雅典人都不能阻挡住他，他们无法迫使他后退。两个埃阿斯犹如两头野牛犁地一样并肩而来，大埃阿斯与他的队伍毫不畏缩，这都是些坚定勇敢的男子汉。但罗克里斯人忍耐不住了，他们没有跟在小埃阿斯的后面。他们满怀信心，此前他们早就不用头盔、盾牌和长枪，仅是手执强弓和投石具就攻打过特洛伊，用他们的箭矢和石块击溃过一些特洛伊士兵。现在他们向特洛伊人逼近，他们掩护得很好，从远处就发射，用他们的弓箭在特洛伊人中间造成了很大的混乱。

若不是波吕达玛斯说服了倔强的赫克托耳的话，那特洛伊人现在真的会从希腊人的舰船和帐篷这里被耻辱地赶回城里。他劝赫克托耳说："朋友，你为什么拒绝所有的忠告？就因为你是战斗中最勇敢的人吗？难道你没有看到，战火正在你的上方燃烧吗？特洛伊人一部分带着战利品脱离战斗，一部分人分散在船只之间各自为战。因此，退下来，召开一次领袖会议，让我们决定：我们是冲进舰船之间的迷宫，还是安全地转移？因为只要希腊的那些最骁勇善战的士兵还在舰船旁等候我们，他们就会为昨天的过失对我们进行加倍的报复！”

赫克托耳听从他的劝告并委托他的朋友，把士兵的领袖聚集在一起。他本人则奔回战场，每遇上一个领袖就命令他到波吕达玛斯那里。他在最前方找到了他的兄弟得伊福玻斯和赫勒诺斯，阿西俄斯和他的儿子阿达玛斯；他发现前两个人已经受伤，后两个人已经死亡。当他看到他的兄弟帕里斯时，他愤怒地朝帕里斯喊道：“我们的英雄都在哪儿？你这个诱拐女人的家伙！不久我们的城市就要完蛋了，那时你也逃离不了恐怖的厄运；现在你得去战斗，其他人要开会！”——“我用火热的灵魂陪伴你，”帕里斯安慰他说，“你不应当怀疑我的勇气！”

他们两人并肩奔向最炽烈的战场，最勇敢的特洛伊人像狂风一样呼啸向前，不久赫克托耳又站到他们前面。但希腊人不再像以前那样怕他了，强大的大埃阿斯愤恨地向他提出挑战。可赫克托耳却不理睬他的责骂，而是向前冲入密集的战斗人群之中。

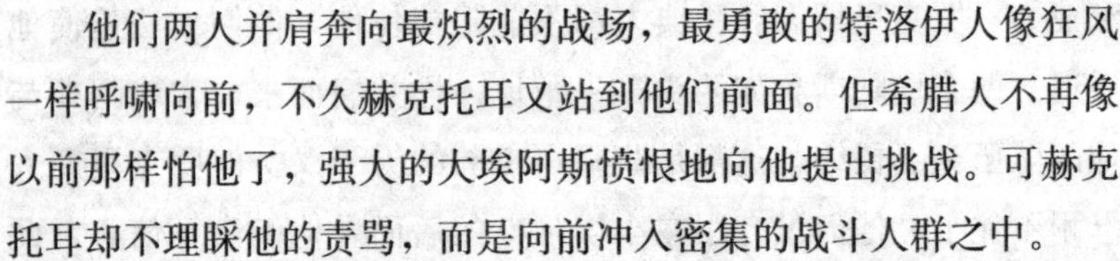

波塞冬增强希腊人的力量

战斗在外面进行得如火如荼，这期间老人涅斯托耳却平静地坐在他的帐篷里饮酒并照料受伤的英雄和医生玛卡翁。但当战斗的呐喊声越来越响并越来越临近时，他把他的客人交给他的女仆赫卡墨得，命令她给他准备温水浴，并拿起他的盾牌和长枪走到帐篷外面。在这儿他看到战局发生的不利转折，他站在那儿犹豫不决，不知是该奔向战斗还是去找统帅阿伽门农，同他进行商讨。这当儿从海岸舰船那边返回来的阿伽门农遇见了他，同阿伽门农一道的还有奥德修斯和狄俄墨得斯。他们三个人都拄着长矛，负伤在身。他们到了这儿也只能观望，不能亲自去参加战斗。他们忧心忡忡地与涅斯托耳会在一起，商讨他们军队的命运。

阿伽门农终于说道："朋友们，我不再抱有希望了。因为我们费去那么多力气挖的壕沟、那看来坚不可摧的围墙都不能保护我们的舰船，战斗早就在它们中间进行了。若是我们不主动地撤走，那宙斯就必定要我们全体希腊人毁灭在这陌生的地方。因此我们要把我们摆放在海边的舰船拖到大海里去，等待黑夜的降临。一旦特洛伊人收兵回去，我们就把其他的船只拽入海中，这样我们在夜间就脱离了危险。"

奥德修斯听到这个建议十分不满。"阿特柔斯的儿子，"他说，"你只配去领导一支比我们军队要胆小得多的军队。在两军交战的当儿你要求把船只拖入大海，这就必然使那些被留在战场上的可怜的希腊人孤立无援，他们将恐惧地向四周张望，失去战斗的意志。"——"我连想都没有想过，去违反希腊人的意愿，"阿伽门农回答说，"并且不去听取他们的意见就去做这样的事！如果我知道有一个更好的办法，我愿意放弃我的主张。"——"最好的主张，"奥德修斯喊道，"就是我们立即返回战场，如果我们自己不能去战斗，作为士兵的忠实的领袖怎能去鼓励他人勇敢作战呢?"

希腊人的保护者海神波塞冬听到这番话十分满意，他一直在偷听英雄们的交谈。他化身为一个白发老兵走向他们，握着阿伽门农的手说道："阿喀琉斯真可耻，他现在对希腊人的溃逃得意了！你们放宽心，众神并不恨你们，你们很快就会看到特洛伊人逃跑时所搅起的尘土！"海神说完就离开他们冲进战场，他在希腊士兵中间大声呼叫，这声音像一万人同时呐喊一样雄浑有力，直进入每一个英雄的内心，使他们变得勇敢坚定。

正在奥林匹斯圣山上观望下界战斗的天后赫拉看到她的姻兄波塞冬介入战争，帮助她的朋友时，她也想有所作为。她向坐在伊得山顶峰的宙斯瞥去，他是那样地对希腊人充满敌意，这使她在心灵深处极为愤恨。她思考着该如何去欺瞒他，转移他对战斗的注意力。

突然间她想出了一个好的念头。她去了那间她儿子赫淮斯托斯在万神宫专为她而建造的密室，密室的门安装的是无法打开的门闩。她进入后就把门锁上。她在这儿沐浴，往美丽的胴体（人的身体。胴，dòng）上涂抹香膏，把头发梳理成惹眼的鬈（quán）状，穿上华丽的锦服——这是雅典娜为她缝制的，胸前佩戴金别针，围上熠熠（yìyì，形容闪光发亮）闪光的腰带，戴上闪烁光华的宝石耳坠，并在头上罩上一层透明的面纱。她雍容（文雅大方，从容不迫）华贵地离开了密室，去寻找爱神阿佛洛狄忒。

"不要生我的气，小女儿，"她讨好地说，"因为我支持希腊人，你支持特洛伊人。也不要拒绝我的心向你提出的请求。把你那条能驯服人和神的爱情魔带借我一用，因为我要去大地的边缘那里拜访我的养父母俄刻阿诺斯和泰西斯，他们一直生活在争吵之中。我想用热情的言辞使他们和解，为此我需要你的腰带。"阿佛洛狄忒没有发现这是个骗局，于是率真地回答她说："母亲，你是众神之王的妻子，拒绝你这样一个请求是不对的。"她随即解下那条艳丽无比、色彩斑斓的腰带，它有着神奇的魔力。"戴上吧，"她说，"将它贴在你的心上，你肯定会成功地从那里返回来。"

赫拉随即离开，前往遥远的特剌刻，到了睡神居住的地方，恳求他在下一夜使众神之父昏睡过去。但睡神感到害怕，他曾按照赫拉的命令使宙斯昏睡过一次，当时赫拉克勒斯从荒芜的特洛伊返回家中，而他的敌人赫拉要把他打发到科斯岛去。当宙斯发现了这个骗局时，大发雷霆，就在神殿大厅里把众神抛来掷去；若不是睡神逃进使神和人都能平静下来的夜神的怀抱之中，那宙斯就会把他杀死了。现在睡神惊恐地使赫拉回忆起这件事，但赫拉安慰他说："你想到哪儿去了，睡神！你认为宙斯维护特洛伊人是出于热心？像他爱他的儿子赫拉克勒斯一样？聪明点儿，按我的意思去做；随后我就使美惠三女神中最年轻最漂亮的那个做你的妻子。"睡神让她以斯堤克斯河为证许下誓言，随后他答应听从她的支配。

现在赫拉光彩照人、风姿绰约地登上了伊得山顶，宙斯一看到她，心中便充满了炽热的爱，这使他立即忘掉了特洛伊的战斗。"你怎么从奥林匹斯到了这儿?"他说，"你把马和车放到了哪儿，亲爱的女人?"赫拉狡黠地回答他说："亲爱的，我要到大地的边缘，去调解我的养父母的争端。"——"难道你要永远跟我为敌?"宙斯回答说，"你也可以以后再去。让我们在这儿开心地观望这场民族之间的战争。"

赫拉听到这番话后感到惊恐，因为她看到，就连她的美貌和阿佛洛狄忒的腰带都不能使她丈夫完全从心里抛开对战争的关注和对希腊人的愠怒。可她遮掩住她的惊惶，她亲昵地搂抱住他，抚摩着他的面颊，说道："亲爱的，我要按你的意志去做。"但在同时，她示意睡神。睡神也隐身着随她而来，站在宙斯的身后，等待她的命令。睡神阖上了宙斯的眼睑，使他还来不及回答就把他的头埋倒在妻子的怀中，沉沉地睡了过去。现在赫拉急忙派睡神作为使者去船边波塞冬那里，告诉她的兄弟："现在正是你采取行动的时候，使希腊人得到光荣，因为宙斯在伊得山峰上由于我的迷惑而酣睡不醒。”

波塞冬很快冲到最前方的人群之中，他化身为一个英雄，对希腊士兵喊道：“现在让我们去打败赫克托耳，男子汉们，难道让他夺取我们的舰船和赢得光荣吗？虽然我知道，他是凭借阿喀琉斯的拒绝出战才得以这样肆无忌惮。但如果我们没有阿喀琉斯就不能取胜，那对我们来说就是一种耻辱！握紧你们强大的盾牌，戴上你们闪闪发光的头盔，挥动你们犀利的长枪，我们要前进，我要冲在最前面。我们要看看，赫克托耳在我们面前能不能挺得住！”希腊人听从这个强大的斗士发出的响亮声音。受伤的诸王亲自指挥作战，给士兵们交换武器，给身强的人以重武器，给体弱的人以轻武器，随后涌向前去。波塞冬冲在前面，握在他右手的一把令人恐怖的宝剑就像一道闪电一样在闪动，他成为他们的领袖。他所向披靡，无人敢与他进行交战。这时他使大海怒吼，波浪冲击着希腊人的舰船和帐篷。

但赫克托耳对这一切并不惧怕。他与特洛伊士兵冲入战斗，两支军队又开始了厮杀。赫克托耳首先把他的长矛掷向大埃阿斯并击中了他，但交叉横在大埃阿斯胸前的盾牌和宝剑的皮带保护了他的身体。失去了长矛的赫克托耳不情愿地退回到自己的士兵之中。大埃阿斯向他投去一块石头，把他击倒在地，他的长枪、盾牌和头盔都飞散到空中，铁制的铠甲叮当作响。希腊人发出一片欢呼声，随之长矛如冰雹一样飞来，他们要把倒在地上的赫克托耳拖走。但特洛伊人立即奔来，首先到达的是埃涅阿斯、波吕达玛斯、高贵的阿革诺耳、吕喀亚人波耳珀冬和他的伙伴格劳科斯。他们都用盾牌保护他，把昏迷过去的赫克托耳抬起来，送到没有危险的战车上，返回城里。希腊人更加猛烈地冲向敌人。

阿波罗使赫克托耳变得强壮

特洛伊人来到他们战车旁，停了下来，他们惊恐万状，脸色苍白。但现在宙斯在伊得山峰醒了过来，从赫拉的怀中抬起了他的头。他很快跳了起来，瞥向希腊人和特洛伊人，特洛伊人在狼狈逃窜，希腊人在后面穷追不舍。在希腊人中间他认出了他的兄弟波塞冬。他看到赫克托耳倒在地上，他的伙伴围在他的周围。他昏迷不醒，呼吸困难，鲜血流淌。众神和人类之父目光停留在他的身上，充满了怜悯；随后宙斯阴沉而恫吓地转向赫拉，说道："狡诈的骗子，你做了什么啊？难道你记不起来，两手铐上金铐，两腿缚在铁砧上，倒悬挂在空中之苦？没有一个奥林匹斯的神敢于冒着我把他掷到大地的危险去接近你，那是你煽动风暴众神反对我的儿子赫拉克勒斯所受到的惩罚，难道你要第二次尝尝这个苦头？"

赫拉惊呆了，沉默片刻，然后说道："天地和斯堤克斯河水做证，我没有鼓动波塞冬去反对特洛伊人，是他的情感驱使他这样去做的。是的，我该好好地劝他服从你的命令。"宙斯变得高兴起来，因为赫拉戴着的阿佛洛狄忒的腰带一直在起作用。终于他温和地说道："如果你在众神会议上与我的思想一致，那波塞冬的想法很快就会转到我们这一边的。如果你认真地看待这件事，那你就去给我喊来伊里斯和阿波罗，叫伊里斯去命令我的兄弟退出战斗，返回宫殿；叫阿波罗去为赫克托耳治伤，鼓起他的勇气，赋予他新的力量，去投入战斗！"

赫拉满脸惊恐，她服从了，从伊得山峰回到奥林匹斯，进入众神欢宴的大厅。他们敬畏地从座位上跳了起来，向她举杯敬酒。她拿起忒弥斯的杯子，啜饮了一口，并传达宙斯的指示。阿波罗和伊里斯急忙奔向伊得山。伊里斯从那里按宙斯的命令火速降到战场。当波塞冬从伊里斯的嘴里听到了他兄弟宙斯的命令时，悻悻（xìngxìng，怨恨愤怒的样子）地说："那好吧，我走！但宙斯知道：如果他与我和希腊人的奥林匹斯朋友分道扬镳并决定不让特洛伊毁灭的话，那就会激起我们的灾难性的愤怒！"他说完就潜入海水，希腊人立刻就见不到他了。

现在宙斯派他的儿子阿波罗从伊得山到赫克托耳那里。阿波罗看他又站立起来，宙斯使他变得强壮，他的呼吸轻松了，生命力又回到了他的身上。当阿波罗怜悯地走近他时，他悲哀地望着阿波罗说："你是谁？为什么前来看我？难道你听到了，强大的大埃阿斯在舰船旁用一块巨石击中了我的胸部并阻止了我的胜利？我以为就在今天我就得去见黑色的地狱之神哈得斯呢！"——"放心吧，"阿波罗回答他说，"你看，是宙斯把我——他的儿子阿波罗派到你这儿来，从现在起按照他的指示来保护你，你看到的我手中的这把金剑，它将为你而挥舞。重新登上你的战车，我在前面为你的战马开路，帮助你把希腊人赶得四下逃窜！"

赫克托耳刚听完阿波罗神的话，就从地上跳了起来，起身跃上战车。希腊人看到这位英雄飞奔而来都怔住了，突然间就停下了他们的追赶。第一个看到赫克托耳的是埃托利亚人托阿斯，一个善于言辞的人，他立即提醒在他周围进行战斗的希腊诸王注意，并呼喊道："哎呀！我的眼睛在那儿看到的是怎样一个奇迹！我们大家亲眼看到被大埃阿斯用石头打倒在地的赫克托耳又站在车上奔了过来，他威风凛凛地冲在前面。雷霆之神宙斯肯定站在他的一边！请听我的劝告，把大批士兵撤到舰船。我们军队中最勇敢的人，来抵抗他。无论他怎样骁勇，都难以冲破我们的队伍。”

英雄们听从这有道理的劝告。他们召集来最英勇的英雄和战士，这些人很快围绕两个埃阿斯、伊得墨涅斯、墨里俄涅斯和透克洛斯列成阵势。在特洛伊人那一方，士兵们蜂拥而来，赫克托耳站在他的战车上冲在前面。阿波罗神隐身在云层中间，手执令人丧魂失魄的神盾，他指引着赫克托耳。希腊英雄严阵以待。双方军队都大声呐喊，很快箭镞（zú，箭头）如雨，投枪呼啸。特洛伊人总是无击不中，因为阿波罗与他们在一起；当这位神祇对着希腊人晃动那令人恐怖的神盾，并发出可怕的咆哮时，希腊人的心在发颤，他们忘记了抵抗。赫克托耳利用了这个机会，与特洛伊人一起杀死了无数的敌人。

在特洛伊人剥下所有这些死者的铠甲期间，希腊人乱成一团，朝壕沟和围栏方向溃逃，一会儿涌到这里，一会儿涌到那里，有一些在惊慌中越过围墙逃命。赫克托耳向特洛伊人声音洪亮地喊道：“让这些身穿铠甲的死尸躺在这里，快直接冲到船上去。有谁留在这儿，他就得死！”他一边喊一边鞭策他的战马，向着壕沟驰去，所有特洛伊的英雄都驱动战车跟在他的后面。阿波罗用他的神足踏平壕沿的凸起部，为他们铺好一条路桥。他自己先在这条路上跨过了壕沟，并用他的神盾一击就把希腊人的围墙毁成一堆泥土。

希腊人现在又挤在船巷中间，举起双手，向神祇祈求。宙斯用响雷对涅斯托耳的祈祷做了仁慈的回应。特洛伊人把这看成是上天赋予的对自己有利的征兆，于是乘着战车呐喊着通过坍塌的围墙；当希腊人逃到他们舰船的甲板上时，特洛伊人就从战车上下来进行战斗。他们一方在船舷上，一方在地面上进行厮杀。

战斗在船边进行得如火如荼，双方势均力敌。赫克托耳和大埃阿斯在为一艘船而进行殊死之战。但大埃阿斯没有能把赫克托耳从甲板上赶下来，也没能放一把火烧毁船，赫克托耳也不能把大埃阿斯从船上击败。大埃阿斯的长矛刺死了赫克托耳的亲戚卡勒托耳，赫克托耳的长枪击中了大埃阿斯的伙伴吕科佛戎。透克洛斯跑去援救他的兄弟，射中了波吕达玛斯的驭手克利托斯的脖子。徒步进行战斗的波吕达玛斯拽住无人驾驭的战车。透克洛斯的第二支箭射向赫克托耳，但宙斯使他的弓弦折断，箭镞射到了旁边，这位射箭好手痛苦地觉察到了神的敌意的力量。

赫克托耳向他的士兵喊道："男子汉们，勇敢前进！我刚才看见了雷霆之神折断了一个最勇敢的希腊人的弓弦！让我们全力冲向舰船。众神与我们在一起！"

"可耻呀，希腊人，"在另一方大埃阿斯喊道，"要不拯救我们的舰船，要不我们就去死！若是强大的赫克托耳放火烧毁了我们的船，你们想徒步越过大海返回家乡吗？或者你们认为赫克托耳来邀请你们去跳舞而不是进行战斗？在生存或死亡之间速做抉择，不要这样耻辱地犹豫不决，死在那些受神祇保佑的坏家伙手中。"大埃阿斯喊着并杀死了一个特洛伊英雄，但赫克托耳用一个希腊人的死为倒下的特洛伊人复了仇。

特洛伊战士像一群嗜血的狮子扑向舰船。观望这场战斗的宙斯只在等待一艘战船在大火中燃烧，升起熊熊火焰，然后就使特洛伊人溃逃和被追赶，让希腊人重新赢得胜利的荣誉。这期间，赫克托耳怒气冲天，口中喷吐白沫，阴沉的眼眉下双目闪闪发亮，他头盔上的羽饰在可怕地飘动。因为他已经时日无多，于是宙斯再一次赋予他力量和威严，胜于其他所有人。雅典娜已经在为他安排一场恐怖的死亡灾难。但现在他却冲破希腊人的队列，扑向密集的敌人。希腊人惊骇至极，望风而逃。

希腊人已经从最前列的舰船那儿退了下来，可他们没有分散在营巷之中，羞愧和恐惧把他们集聚在帐篷旁边，他们相互鼓励，特别是老英雄涅斯托耳，他用战斗的呐喊来激发起士兵们的勇气。这期间，赫克托耳和他的队伍也不是无所作为。他冲向一艘战船，宙斯帮了他一把，使他首先跃上去，他的士兵随他蜂拥而至。

于是为争夺舰船，重新爆发了一场鏖战（激烈的战斗，苦战。鏖，áo）。希腊人宁愿死也不愿逃走，特洛伊人方面每一个人都希望把第一束火把掷到船上。赫克托耳占据了普洛忒西拉俄斯所乘的一艘漂亮的战船的舵尾，现在希腊人和特洛伊人围绕这块地方展开了殊死之战。不再有什么弯弓射箭和抛掷投枪，士兵都挤成一团，只能用犀利的战斧、大钺（yuè，古代兵器，青铜或铁制成，形状像板斧而较大）和宝剑砍杀，用长矛对刺。有些利剑从手中掉到地上，或者把对手的肩膀砍下，地上血流成河。赫克托耳向他的人喊道："现在拿火来，大声呐喊！宙斯给了我们这一天，用来补偿我们以前所受的损失！"

大埃阿斯这期间用他的长矛抗击携带火具拥来的特洛伊人。同时他向他的同胞吼道："朋友们，现在你们是男子汉！或者你们认为在舰船后面还有援兵，还有一个坚固的城墙来保护你们？在你们身后没有可以逃到里面的城池，像特洛伊人那样。你们现在远离祖国，在敌人的土地上，你们被逼到了海边！我们的安全就掌握在自己手中！"他喊着并用长矛迎击每一个手持火把靠近船只的敌人，很快在他面前躺下了十二具尸首。

帕特洛克罗斯之死

这期间，帕特洛克罗斯返回阿喀琉斯的帐篷。他泪流满面，告诉他的朋友说："希腊人的灾难在折磨我的灵魂！所有最勇敢的人都躺倒在舰船周围，不是为投枪所伤就是被长矛刺中。狄俄墨得斯受伤了，奥德修斯和阿伽门农伤于长矛，欧律皮罗斯被枪刺中了大腿。医生都在为他们疗伤，他们都无法参加战斗，而你却冷酷地留在这里。你的双亲不可能是英雄珀琉斯和女神忒提斯。你一定是阴沉的大海和僵硬的崖石所生，你的心才会这样的无情！好吧，如果是你母亲的话和众神的旨意把你留在这儿，那至少派我和你的战士去帮助希腊人。让我戴上你的铠甲，也许特洛伊人一看到我英勇战斗时，就会把我当作是你，这样希腊人就有了喘息的时间！"

但阿喀琉斯愠怒地回答说："朋友，你使我伤心！阻止我的既不是母亲的话，也不是神祇的命令；而是剧烈的痛苦，它在撕扯我的灵魂，一个希腊人竟敢于从我——他的一个平等的伙伴的手中夺走了我的荣誉的战利品。但即使这样，我不会永远地怀恨在心，并且决定了，一旦战斗蔓延到舰船，我就忘记我的怨恨。我还不能决定是不是亲自去参加战斗，但是你可以披挂上我的铠甲并且率领我的勇敢战士去战斗，全力向特洛伊人冲击，把他们从舰船旁赶走。但不要去与一个人交战，而这个人就是赫克托耳。你要保护自己，不要落入一个神的手中，因为阿波罗喜欢我们的敌人！一旦你挽救了舰船，你就再返回来。其他人就让他们在战场上相互厮杀好了；若是一个希腊人也不剩下，那就更好了；我们两个人单独去战斗，就能把特洛伊城毁灭。"

突然间阿喀琉斯看到舰船那边火焰冲天而起，一阵痛苦使他震颤。“去吧，高贵的帕特洛克罗斯，”他喊道，“站起来，不要让他们夺走舰船，阻止我们的人逃走！我要自己去召集我们的士兵。”帕特洛克罗斯听到他朋友的话高兴极了，他迅速穿上铠甲，束上加工精致的胸甲，把宝剑悬挂在肩上，戴上飘动着马鬃的头盔，左手握住盾牌，右手抓起两支犀利的投枪，随后就去套马。阿喀琉斯招来他的密耳弥多涅斯士兵，他们来自五十艘战船，每艘战船五十个战士。由几个领袖率领这支战斗队伍，他们是墨涅斯提俄斯，河神斯珀耳叩斯和妩媚的波吕多瑞所生的一个儿子；欧多剌斯，赫耳墨斯和波吕墨勒的儿子；玛珊德洛斯，迈玛罗斯的儿子，一个在军队中仅次于帕特洛克罗斯的优秀战士；最后是两鬓斑白的福尼克斯和莱耳刻斯的儿子阿尔喀墨冬。

珀琉斯的儿子向这些即将出发的人说道：“你们这些密耳弥多涅斯人，不要有一个人给我忘记，你们在过去是怎样威胁过特洛伊人。现在你们渴望的时刻终于出现了。战斗吧，遵照你们勇敢的心所命令的那样去做吧！”说毕他返回自己的帐篷，拿出一个精致的酒杯，除了他没有第二个人用这个酒杯喝过美酒；除了宙斯之外，也没有第二个神接受过用这个酒杯献上的灌礼。现在他站在他的房间的正中间，向宙斯进行祭酒，并请求他保佑希腊人得到胜利，保佑他的战友帕特洛克罗斯平安归来。宙斯对他的第一个请求示意满足，但对第二个请求则摇头（为下文帕特洛克罗斯的阵亡埋下了伏笔）。阿喀琉斯对宙斯的两种表示均没有看见。随后阿喀琉斯回到自己的帐篷，从这儿去观望特洛伊人和希腊人之间的血战。

这期间密耳弥多涅斯人在前进，他们像一个蜂群，帕特洛克罗斯冲在最前面。当特洛伊人看见他时，他们心惊胆战，他们的阵势一片混乱，因为他们认为阿喀琉斯本人前来参战，他们在考虑如何逃避开免得丧命。帕特洛克罗斯利用了他们的畏惧，挥动闪闪发亮的长矛径直冲入他们中间，在那儿普洛忒西拉俄斯那艘船的四周是人群最密集的地方。他的投枪击中了派俄尼亚人皮赖克墨斯，他痛苦地朝后栽倒。所有的特洛伊人恐惧地夺路逃走，希腊人冲入船巷追赶。到处都是一片惊慌混乱，但不久特洛伊人又镇静下来，希腊人被迫徒步进行作战。

除了考虑如何用长矛击中赫克托耳，大埃阿斯心中什么也不想。但赫克托耳战斗经验丰富，用他的牛皮盾牌保护自己，使箭镞和投枪都纷纷落地。这位统帅虽然看出来了，胜利已离他和他的军队而去，但他依然坚定地进行战斗，这至少能保护和援助他的忠诚的战友。直到希腊人进行的攻击变得无法阻挡时，他才掉转战车，越过壕沟逃走。但帕特洛克罗斯催动他的战马穷追不舍。沿途凡是他在舰船之间，在围墙和河流之间遇到的都得丧命。普洛诺俄斯、忒斯托耳、厄律拉俄斯和其他九个特洛伊人，在他前进的路上，或死于他的投枪，或毙命于他的长矛，或倒于他的投石之下。吕喀亚人萨耳珀冬悲痛和愤怒地目睹这一情景，他以斥责的方式激励他的士兵，自己全副武装地跳下战车。帕特洛克罗斯同样跃下战车，他俩吼叫着冲向对方，像两只利爪勾喙的苍鹰一样。现在这两个英雄已彼此接近到投射的距离，但帕特洛克罗斯首先投中的是萨耳珀冬的勇敢战友特剌绪得摩斯。他第二次攻击，长矛才射中萨耳珀冬的腰部。萨耳珀冬栽倒在地，像是被斧头砍倒的一棵巨大的松树。临死前萨耳珀冬呼喊他的朋友格劳科斯，让他与吕喀亚的士兵抢出他的尸体，随后就死去了。

诸王得知萨耳珀冬死亡都非常悲痛，他们要去复仇。他们狂暴地冲向希腊人，赫克托耳冲在最前面。而希腊人在帕特洛克罗

斯的鼓励下也呐喊着冲了过来，双方为争夺萨耳珀冬的尸体进行血战。密切注视战局发展的宙斯在考虑帕特洛克罗斯的死，但他觉得还是先让他赢得胜利更好些。于是帕特洛克罗斯把特洛伊人连同所有的吕喀亚人都向城里逼去。希腊人夺走了死去的萨耳珀冬的铠甲，正当帕特洛克罗斯要把萨耳珀冬的尸体交给密耳弥多涅斯人时，阿波罗已奉宙斯之命将其扛在自己的神肩之上，背到远处的斯卡曼德洛斯河旁。在这儿，他在水里把尸体洗净，涂上香膏，交给双生子睡神和死神。他俩携萨耳珀冬的尸体飞起，将其带回到萨耳珀冬的故乡吕喀亚。

逃跑的赫克托耳在斯开亚门旁勒住了他的战马，思忖了片刻，他是驱马返回战场，还是命令他的士兵退到城墙后面，把城门紧闭。正当他犹豫不决地拉动缰绳时，阿波罗化身为赫卡柏的兄弟阿西俄斯，赫克托耳的一个舅舅。他走到赫克托耳的身旁，对他说道："赫克托耳，你为什么要撤出战斗？掉转你的马头，向帕特洛克罗斯冲去；有谁知道阿波罗正使你获得胜利呢?"这位使人认不出的神祇在他耳边轻声低语，随之就在密集的士兵中消失了。紧接着赫克托耳激励他的驭手刻布里俄涅斯，策马重新进入战场，阿波罗在他前头开路，直冲入希腊人的队列，使他们陷入一片混乱。而赫克托耳甩开其他希腊人，径直奔向帕特洛克罗斯。

当帕特洛克罗斯看到他接近时，就跳下战车，从地上举起一块尖角的大理石，击中了刻布里俄涅斯的额头，使他立即栽倒在地上死去。随之帕特洛克罗斯像一头雄狮扑向尸体，想去占有死者的铠甲。但赫克托耳为他的异母兄弟而拼命战斗。赫克托耳抓住死者的头，而帕特洛克罗斯抓住脚，特洛伊人和希腊人都卷了进来，他们就像东风和西风一样相互搏斗。临近傍晚，局势对希腊人变得有利，他们夺走了刻布里俄涅斯的尸体，只留下了他的铠甲。

现在帕特洛克罗斯以双倍的愤怒扑向特洛伊人，接连三次杀死了二十七人之多。但当他发起第四次冲击时，死亡已在窥伺他了，因为这次他在战斗中遇到的是阿波罗本人。帕特洛克罗斯没有看见阿波罗，因为阿波罗隐藏在一团浓密的云雾里。阿波罗站在他的身后，对着这个英雄的后背和肩上猛击了一掌。随后他扯掉昏昏沉沉的帕特洛克罗斯的头盔，头盔落到地上，在马蹄下面来回滚动，盔上的羽饰沾满了尘土和血污。阿波罗又折断了他手中的长矛，从肩上撕下了他的盾牌的皮带，从身上扯掉他的胸甲，并使他的大脑一片空白，木然地僵立在那里。这时潘托俄斯的儿子欧福耳玻斯从后面用长矛刺穿他，随即急速退回阵里。

现在赫克托耳重又从阵中冲击，并从前面用长枪刺入受伤的帕特洛克罗斯的柔软的腹部，枪尖从后背透出。他立即用长枪来结束他的生命并高兴地叫喊道："哈，帕特洛克罗斯！你还想把我们的城市变为一堆瓦砾，把我们的女人装到船上带回你们的国家做奴仆吗？现在我至少把你们的奴役日子推迟了，并把你喂给老鹰！你的阿喀琉斯能救你的命吗？"垂死的帕特洛克罗斯声音微弱地回答他说："你由衷地高兴吧，赫克托耳！宙斯和阿波罗使你不费力地赢得了胜利的荣誉，因为是他们解除了我的武装。但有一点我要告诉你：你不会活太久了！厄运已经站到了你的身旁，我知道是谁使你丧命的。"他费力地说出了这几句话，随后灵魂就离开他的身体，前往冥府。赫克托耳从伤口中抽出他的铁矛并把死者甩到后面。

现在特洛伊人欧福耳玻斯和阿特柔斯的儿子墨涅拉俄斯手执武器来争夺帕特洛克罗斯的尸体。"你得来偿命，"欧福耳玻斯喊道，“你杀死了我的兄弟许珀瑞诺耳，使他的妻子成了寡妇!”说着他就举起长矛对着墨涅拉俄斯的盾牌刺去，但矛尖弯了。而墨涅拉俄斯举起他的长枪，刺穿了敌人的咽喉。欧福耳玻斯栽倒在地，若不是阿波罗嫉妒他，他就会把死者的铠甲和武器一同带走。因为这时阿波罗化身为喀科涅斯国王门忒斯，提醒赫克托耳重新转向欧福耳玻斯的尸体。赫克托耳立即转身，他突然看见了墨涅拉俄斯正要把欧福耳玻斯华丽的铠甲拿走。当墨涅拉俄斯一听到这个特洛伊英雄的大声咆哮时，就放下尸体和铠甲，火速地奔向战场，去寻找大埃阿斯。

当墨涅拉俄斯终于在密集的士兵中认出他时，就朝他喊叫，要求他与自己一道去夺取帕特洛克罗斯的尸体。时间已很紧急了，因为赫克托耳正在忙于将铠甲从死者身上剥下，把尸体拖到身边，用剑把他的头从肩膀上砍下，并把身体抛给狗吃。赫克托耳看到大埃阿斯手握七层牛皮的盾牌向自己奔来时，他放下了手头上的血腥工作，急速地逃回到他的战友中间。

吕喀亚人格劳科斯向赫克托耳投去阴沉的目光，斥责他说：“如果你在英雄面前怯懦地逃走的话，那你的声誉就会一落千丈。赫克托耳，你考虑考虑吧，你怎样独自来保卫城市？在你把我们的国王萨耳珀冬的尸体交给希腊人和野狗之后，再不会有哪一个吕喀亚人与你并肩战斗了!”

“你不聪明，格劳科斯朋友，”赫克托耳回答说，“你以为我害怕大埃阿斯的强大。还没有什么战斗使我害怕过，但宙斯的旨意比我们的勇气更有威力。现在靠我更近些，我的朋友，看我怎么做，然后再说我是不是胆小，像你所想的那样!”说完他就去追他的那些把帕特洛克罗斯穿的那副阿喀琉斯的铠甲当作战利品带回城里的朋友。他追上了他们，把他自己的铠甲卸下，换上阿喀琉斯的那副神圣的铠甲。这是天庭众神在珀琉斯与海洋女神忒提斯结婚时送的礼品，后来珀琉斯年纪大时就把它送给了儿子，但儿子穿上父亲的装备却注定不会活到老年。

当众神和人的统治者宙斯从天上看到赫克托耳穿上了英雄阿喀琉斯那副神圣的铠甲时，他摇了摇头，在内心深处说道："你这可怜人，你还没有想到死亡的命运，它就已经守候在你的旁边了。你杀死了令其他人都心惊胆战的伟大英雄的亲密朋友，你割下了他的头颅，剥下了铠甲，现在你用女神儿子的神圣铠甲来武装自己。即使如此，你也不会从战场返回，你的妻子安德洛玛刻不会为你解下这身美丽的铠甲，欢迎你的归来，所以我要使你再一次得到胜利的荣誉作为补偿。"

在宙斯说这番话期间，赫克托耳已经穿好铠甲。战神阿瑞斯的精神在燃起他的战斗激情，他的四肢充满力量，显示出威风。他大声呐喊着跃回到伙伴中间并率领他们冲向敌人。为争夺帕特洛克罗斯尸体的战斗重又燃起，双方整天都在这里浴血奋战。希腊人喊道："我们宁愿死在这里，也不能让特洛伊人把尸体抢去，耻辱地返回舰船！"而特洛伊人对之高喊："为了这具尸体，我们就是都死了也无所畏惧！"

这期间宙斯改变了他的主意。他在浓云中间派雅典娜做他的使者到下界去，她化身为福尼克斯走近墨涅拉俄斯。她使他的肩膀和双膝充满了力量，并使他变得坚韧不拔、勇猛顽强。但阿波罗化身为淮诺普斯走向赫克托耳，并提醒他说："喂，赫克托耳，若是一个墨涅拉俄斯就能把你吓跑的话，那在所有希腊人中将来还有谁会怕你？他杀死了你最好的朋友，现在他，一个全希腊军队中最懦弱的人，也要从你手中夺走帕特洛克罗斯的尸体！"这番话使赫克托耳异常恼怒，他身着熠熠发亮的铠甲冲到前面。宙斯摇着他的神盾，把伊得山隐蔽在浓云中间，发出闪电和雷霆，向特洛伊人显示出胜利的征兆。

决战更加激烈了，大埃阿斯对墨涅拉俄斯说：“墨涅拉俄斯，你有没有看到涅斯托耳的儿子安提罗科斯还活着？向阿喀琉斯报告他的朋友帕特洛克罗斯的死讯，他是最合适的使者了。”墨涅拉俄斯用他敏锐的目光扫视四周，很快就在相互厮杀的人群中发现了涅斯托耳的儿子。“安提罗科斯，”他朝他喊道，“你还不知道一个神衹把灾难降到希腊人身上并把胜利赐给了特洛伊人吗？帕特洛克罗斯已经死了，全希腊人失去了他们的最勇敢的英雄。只有一个比他更勇敢的人还活着，那就是阿喀琉斯。去问他，他是否来拯救帕特洛克罗斯的赤裸裸的尸体，他的铠甲已让赫克托耳剥去了。”这个年轻人大吃一惊，他一听到这个消息便泪流满面，长时间一声不响。终于他把他的铠甲交给了他的驭手拉俄多科斯，随后向舰船方向奔去。

当墨涅拉俄斯重新返回尸体旁时，他同大埃阿斯商量如何把死去的朋友抢夺回去，他们对阿喀琉斯的到来不抱多大希望，因为他的神圣的铠甲已被抢走了。他们把尸体用力举高，尽管特洛伊人尾随在后面大声吼叫，挥动宝剑和长枪，可只要大埃阿斯一转过身来，特洛伊人就吓得面色苍白，不敢去抢夺他扛着的尸体。他们用了很大力气才把这具尸首从战场上运到舰船，其他希腊人也同他俩一起逃了回来。赫克托耳和埃涅阿斯紧追不舍，那些溃逃的希腊人慌不择路，乱成一团，越过壕沟退了回去，路上到处是他们丢弃的武器。

阿喀琉斯的悲恸

这期间安提罗科斯带着可怕的消息哭着奔向阿喀琉斯，从老远的地方他就向阿喀琉斯喊道："我感到痛心啊，珀琉斯的儿子，你现在不得不听到的本是不应该发生的事情。我们的帕特洛克罗斯已经阵亡了，他们在为争夺他那赤裸裸的尸体而战，铠甲已被赫克托耳剥走。"阿喀琉斯一听到这个噩耗，眼前变得一片漆黑。他用双手抓起黑色的尘土撒向他的头、他的脸和他的衣服。随后他躺倒在地上，可怕地喊叫起来（动作描写，表现了听闻朋友帕特洛克罗斯阵亡的消息后，阿喀琉斯悲伤哀痛的心情）。这哭泣的声音直传到海底深处他母亲忒提斯那里。她与她的姊妹们一道穿越分离开来的海浪到达海岸，从船上下来，直奔向恸哭的儿子。"孩子，你哭什么？"她问道，哀叹地把他的头搂在怀里，"谁伤害了你的心？说出来，什么都不要对我隐瞒！你所想的不是已经都发生了？希腊人都拥到你的舰船来，渴求你的帮助！"

终于阿喀琉斯沉重地叹息说："母亲，帕特洛克罗斯已经死了，这对我还有什么用呢？我爱他就像爱自己的脑袋一样！我的那副精美的铠甲，就是众神在你的婚礼上送给珀琉斯的那件礼物，已被杀害帕特洛克罗斯的凶手赫克托耳从身上剥走。哦，若是珀琉斯的妻子是一个凡人的话，那你就得为你死去的儿子承受人世间的痛苦，因为他永远不会返回他的故乡了！是的，若是赫克托耳不被我的长矛刺穿，为我的帕特洛克罗斯的死赎罪的话，我的心不允许我活下去！"

忒提斯含泪回答说："啊，我的儿子，你的生命很快就要枯萎，因为在赫克托耳之后，你的末日注定也就到了。"但阿喀琉斯愤怒地喊道："如果命运不允许我去为死去的朋友复仇，那我宁愿现在就死去。没有我的帮助，远离故乡，他死去了。我短暂的生命对希腊人有什么用？我没有给帕特洛克罗斯，没有给无数被杀害的朋友们带来安全。当其他人在战斗中死去时，我却坐在船边不为所动。我的愤懑在神祇和人们面前该受到诅咒，这种愤懑开始时使心灵甘之如饴（感到像糖一样甜，形容甘愿承受艰难、痛苦），可不久就像在胸中燃起熊熊的烈火！过去的已经过去！我要去为我的朋友复仇，杀死凶手。我的命运已经注定，宙斯和众神随时处理它好了。特洛伊人应该知道，我在战争中休息得够长了！亲爱的母亲，不要阻止我去战斗！"

"你是对的，我的孩子，"忒提斯回答他说，"感到遗憾的是，你的灿烂的铠甲在赫克托耳手上，他自己还把它穿上了。可他不会笑得太久的，在明天太阳升起的时候，我就给你带来新的装备，它将由赫淮斯托斯亲手制造。但你在我回来前不要去参加战斗。"女神说完就与她的姊妹下潜，回到她们的海洋宫殿。她本人匆忙前往奥林匹斯，去拜访锻冶之神赫淮斯托斯。

这期间争夺帕特洛克罗斯尸体的战斗在继续；若不是伊里斯按照赫拉的命令——她瞒着宙斯和众神——飞到阿喀琉斯那里，带去让他武装起来的指示的话，那赫克托耳几乎就成功地将帕特洛克罗斯的尸体抢走了。"但是我怎样去作战？"阿喀琉斯问神祇的女使者，"因为我的敌人穿着我的铠甲。我的母亲禁止我穿其他人的装备，直到她把由赫淮斯托斯制造的一副新铠甲给我带来。我知道没有任何人的武器适合我，除了大埃阿斯的盾牌，但那是他自己要使用的，用来保护我死去的朋友的尸体。"——"我们知道，"伊里斯回答他说，"你的出色的铠甲被抢走了，但你就以这个样子靠近壕沟，出现在特洛伊人面前。若是他们从远处看到了你，那他们就会停止战斗，希腊人就可以得到休整。”

当伊里斯重新飞走时，神一般的阿喀琉斯站了起来。雅典娜把她的神盾悬到他的肩上，使他的面庞辉映出超凡的光华。他就以这个样子很快越过围墙出现在壕沟旁边，可他没有忘记母亲给他的警告，他没有参加战斗，只是停留在远处并大声吼叫。雅典娜的呼喊声与他的吼叫声混在一起，像是战号一样直冲进特洛伊人的耳鼓。当他们听到了阿喀琉斯钢铁般的声音时，他们的心一下子就有了一种不祥的预感，战车和战马纷纷后退。驭手们惊恐地看到珀琉斯儿子的头上闪现出火光。他们壕沟那边发出的三声吼叫就使特洛伊的士兵三次陷入混乱，他们的十二个最勇敢的战士或倒于战车下面而死，或被他们自己的朋友枪刺毙命。

不久帕特洛克罗斯的尸体从敌人那里夺了回来，英雄们把它放在床上，朋友们悲恸地集在尸体四周。当阿喀琉斯看到安放在灵床上他忠诚的朋友的尸体时——它被乱枪刺得血肉模糊，他又一次置身于希腊人之中了，并伏身在尸体上泪如雨下。西沉的太阳映照着这悲恸的一幕。

成长启示

面对希腊军队的连连溃败，阿伽门农认识到因自私而犯下的错误，并愿意弥补自己的过失；面对挚友帕特洛克罗斯的阵亡，阿喀琉斯看到了因愤懑而造成的后果，并决定为了朋友重返战场。“人非圣贤，孰能无过？过而能改，善莫大焉。”知错就改不仅是一个重新认识自己的过程，也是一条寻求自我提升的途径。

要点思考

1. 为了表示自己的歉意，阿伽门农决定怎样补偿阿喀琉斯？

2. 是什么原因使阿喀琉斯重新回到了希腊阵营？

写作积累

- 桀骜不驯　趾高气扬　人声鼎沸　此起彼伏　作壁上观
  横冲直撞　严阵以待　心甘情愿　美轮美奂　羞愧难当
  威风凛凛　势均力敌　迫不得已　大发雷霆　头头是道
  忘恩负义　精神抖擞　奋不顾身　浴血奋战　草木葱茏
  急不可耐　如火如荼　坚不可摧　色彩斑斓　肆无忌惮
  穷追不舍　甘之如饴
- 友情胜于争吵。
- 残忍的人胸中没有温情。

第四卷

导读

随着宙斯在众神会议上的旨意，这场战争变成了真正意义上的人与神祇之间的战争。而随着阿喀琉斯的重返战场，他完成了在这场战争中的使命后，最终长眠于他最亲密的朋友帕特洛克罗斯身边。这之后，命运之神会倾向于哪一方呢？

阿喀琉斯重新武装

两支军队在顽强的战斗之后现在休息了。特洛伊人从战车上卸下马匹，但他们还没有想到去吃饭，而是匆忙地集在一起开会。所有的人都心有余悸（危险的事情虽然过去了，回想起来还感到害怕），没有一个人敢坐下来，因为阿喀琉斯令他们心惊肉跳。终于，潘托俄斯的儿子，明智的波吕达玛斯建议，不要在这儿等到天明，而是立即返回城里。“若是阿喀琉斯全副武装地发现我们早晨还在这儿，”他说，“那逃进城里的那些人会很高兴，可这儿的许多人都得丧命，成为野狗和老鹰的食物。我不想让这种事情发生！因此我建议我们全副武装地在城内广场上过夜，有高墙和坚固的城门保护我们。一大早我们就再度站在城墙上，如果他来进攻，同我们夺取舰船，那我们就给他个厉害。”

赫克托耳也站了起来，他目光阴森地说：“波吕达玛斯，你说的我一点儿都不感兴趣。在宙斯使我得到胜利的时刻，我已经把希腊人逼退到海边，士兵们都认为你的建议是愚蠢的，没有一个特洛伊人会听命于你。而我命令军队就地晚餐，不要忘记警戒。明天早晨我们重新对舰船发起攻击。如果阿喀琉斯真的再次出现，那就活该他倒霉，因为我不会放弃这场恶斗，直到分出胜负，是我还是他得到胜利的桂冠！”特洛伊人不听从波吕达玛斯的有益的劝告，而对赫克托耳的灾难性的发言报以掌声，他们狼吞虎咽地饱餐了一顿。

而希腊人整夜都围着帕特洛克罗斯的尸体悲痛不已，特别是阿喀琉斯，他高声痛哭，把死者的双手放到自己的胸膛上：“那个时候，我在宫中安慰老英雄墨诺提俄斯，答应他，在特洛伊毁灭之后我把他的儿子连同丰富的战利品和荣耀的名声一并带回俄波伊斯他的故乡。哦，现在都成了空话。命中注定，我们俩要用自己的鲜血来染红这片陌生的土地，我那白发父亲珀琉斯和我的母亲忒提斯也再不会在宫中看到我了，这儿，特洛伊城前的黄土将把我掩埋。帕特洛克罗斯，因为我将在你之后倒下，在我没有把你的铠甲和杀害你的人的脑袋带来给你之前，我不为你举行丧礼；我还要给你送上十二个高贵的特洛伊儿子作为你火葬时的祭品。亲爱的朋友，在这个时刻到来之前，你先在我的船上安息！”随后阿喀琉斯命令他的朋友把一只装满水的巨大的三足鼎架在火上，洗净死去的英雄的尸体，涂上香膏；把他放到一张漂亮的床上，从头到脚覆上精美的麻布，就像在死者身上盖上了一条闪闪发光的地毯一样。

这期间忒提斯到了赫淮斯托斯的恒久长存和熠熠生辉的宫殿，这是这个跛足艺术家自己用青铜建造的。她看到他在风袋旁汗流浃背地劳作。他的妻子是温柔的阿格莱亚，美惠三女神之一。阿格莱亚握住忒提斯的手，领她坐到一把银制安乐椅上，在她脚下垫上一只脚凳，然后把她的丈夫喊来。他一看到海洋女神就欢快地叫了起来："我太高兴了，神祇中最高贵的女神能光临舍下，是她在我生下来时从死亡中拯救了我。我来到世界上时是个瘫痪儿，因此母亲把我从怀中扔掉，如果不是欧律诺墨和忒提斯把我抱进她们的怀中并在海中石洞里抚养我整整九年的话，我早就可怜地死去了。现在我的恩人来到了我的家！亲爱的妻子，好好招待她，我先把这儿的乱七八糟的东西清理一下。"

锻冶之神说罢就从铁砧旁立起身来，吃力地跛行，来回走个不停，他把风袋搬离开炉火，把各式各样的工具放进一个银制的箱子里，用一块海绵擦洗他的双手、脸、脖子和胸膛，穿上一件上衣，由女仆们扶着，一拐一拐地从房间里走出来。这些女仆不是真正的人，却像活人一样，充满了青春的魅力，她们都是由黄金铸造的，被赋予力量、理智、声音和艺术才能。她们迈着轻盈的步伐急速地从她们主人身边走开。赫淮斯托斯坐在忒提斯旁边的一把精美的扶手椅上，握住她的手说道："高贵的、亲爱的女神，是什么把你引到我这所你一向很少光临的住处？告诉我，你要求什么？我的心要为你做我所能做到的一切。"

于是忒提斯向他述说了她的忧愁，她抱着他的双膝，请求他为她注定要早死的儿子阿喀琉斯在他活着保护希腊人时锻制一顶头盔、一面盾牌、一副胸甲和胫甲，因为他战死的朋友在特洛伊城前失去了那副神的铠甲。"高贵的女神，振作起来！"赫淮斯托斯回答她说，“你放心好了。我会为你的儿子制造一套精美的装备，他一定会高兴的，那些凡人一看到这副铠甲就会大吃一惊!”

随之他就离开了女神，跛行到他的火炉旁，把风袋接入火炉，让它使劲地鼓风。它的二十个风孔立即把热风吹进炉膛。在坚实的坩埚（融化金属或其他物质的器皿，一般用黏土、石墨等耐火材料制成。坩，gān）里，铁、锡、银和黄金都变得通红。随后他把铁砧放正，右手擎起巨大的铁锤，左手握住铁钳。他开始锻制，先是一面巨大的坚固的盾牌，它有五层厚，有一个银制的盾带和三道闪亮的盾边。他制作完盾牌之后，又锻制了一副比火还要光亮的胸甲。

他随之完成了闪闪发亮的头盔，它十分合适，上饰有金色的羽毛，最后用细锡制造了一双护腿。他把整套装备堆放在阿喀琉斯的母亲面前。她接受了这副铠甲，表示感谢并用她的那双神手拿起这套金光灿烂的铠甲离去。

在露出第一线曙光的时刻，女神又到了儿子身边，他与他的战友还一直为他的朋友帕特洛克罗斯哭泣，她把这副铠甲放到他的面前。密耳弥多涅斯人一看到她都颤抖不止，他们没有一个人敢于直视女神的面孔。阿喀琉斯睫毛下的双眼由于愤怒和喜悦而闪闪发亮。他把这神的高贵礼物举向空中，并长时间地欣赏不止。随后他穿上铠甲，拿起武器，走到海边。他用响雷般的声音召集希腊人，所有人都汇聚而来，包括那些从来没有离开舰船的舵手。瘸脚的狄俄墨得斯和奥德修斯拄着长枪来了，最后出现的是军队统帅阿伽门农。

阿喀琉斯与阿伽门农和解

当人都到齐时，阿喀琉斯站了起来，他说：“阿特柔斯的儿子，真不如阿耳忒弥斯的箭镞在我把布里修斯的女儿挑选为战利品的那一天，就将她在舰船旁射死。由于我的愤恨，许多希腊人都失去了性命！忘记过去吧，尽管它使我们的心灵受到了伤害。我的愤恨至少现在已经平息了。起来，现在去进行战斗！我要看看，特洛伊人是否还有心情在船边悠闲自在！”

这番话激起了希腊人的雷鸣般的欢呼声。这时统帅阿伽门农站了起来并大声呼喊：“不要狂呼乱叫了！这样乱糟糟的，谁能听清说话声？我要向珀琉斯的儿子进行解释，你们其他人注意听，记住我说的话。希腊的儿子已经多次对我在那不幸的一天所做的事情进行了惩罚。”他停顿了一会儿，继续说道：“但这不完全是我的过错，是宙斯、命运女神和复仇女神在士兵大会上使我失去了理智，让我犯了过错。当赫克托耳在舰船周围杀害成群的希腊人时，我就在不断地想起我的罪过；我知道了，是宙斯蒙蔽了我的心智。现在我乐于补偿我所犯下的过失，向你赎罪，阿喀琉斯，随你有多少要求。去进行战斗，我将献给你所有奥德修斯前不久以我的名义许诺给你的礼物。”

“光荣的统帅阿伽门农，”英雄回答说，“随你将这些礼品给予我或者自己保留下来，这对我无所谓。现在让我们别再拖延战斗的时间，因为有许多事情要我们来做，人们都在盼望着重新在前线看到阿喀琉斯！”

现在聪明的奥德修斯说话了：“天神般的阿喀琉斯，先不要把饿着肚子的希腊人赶向特洛伊！让他们此前在船边饱餐豪饮，恢复力量，增强体能！这期间阿伽门农去把他的礼品带到这里，让全体希腊人开开眼界。随后让他在他的帐篷里隆重地举行一场豪华的宴席来款待你。”——“我高兴地听到了你的这一番话，奥德修斯，”阿伽门农回答说，“阿喀琉斯，你可以从全体希腊军队中挑选最高贵的年轻人，让他们从我的船上把那些礼品全部运来。传令官塔尔堤比俄斯去给我们弄一头野猪来，献祭给宙斯和太阳神，让我们为团结和和睦起誓。”——“随你们怎么去做好了，”阿喀琉斯说道，“只要我朋友被蹂躏的尸体还躺在帐篷里，我的喉咙就既吞不下食物也咽不下美酒。我渴求屠杀，获得敌人的鲜血！”但奥德修斯平静地对他说：“全希腊人中最高贵的英雄，这次你的心要听我的劝告。希腊人当然不能用他们的胃肠来哀悼他们的死者，当一个人死去，我们要埋葬他，为他整天哭泣。但若是谁忽略了用美酒和食物来增强自己的力量的话，那我们怎能进行更激烈的战斗呢？”

他一边这样说，一边与涅斯托耳的儿子们一道向阿伽门农的营房走去。在那儿他们拿到了阿伽门农许诺的礼物并给众神献上了一份牺牲。这时阿喀琉斯站了起来，在希腊人面前说道：“宙斯父亲，你使人变得多么愚昧无知啊！若不是你有意使许多希腊人丧命的话，那阿特柔斯的儿子肯定不会如此可怕地激起我的愤懑或者不会如此顽固地要把那个姑娘从我这里抢走！现在让我们去用餐，然后准备进攻。”

最高贵的希腊诸王都围着阿喀琉斯，请他就餐。可他拒绝了，叹息着说：“如果你们真的爱我，朋友们，那就不要劝我饮食。我的悲痛不容忍我这样。让我就这个样子，直到太阳西沉入海（面对丰盛的美食，阿喀琉斯却难以下咽，只因他还没有为朋友报仇，由此可以看出阿喀琉斯重情重义的品质）。”说完这句话，他就离开其他诸王，只有阿特柔斯的两个儿子、奥德修斯、涅斯托耳、伊多墨纽斯和福尼克斯陪着他。他们力图使这个痛苦的人振作起来，但毫无效果。阿喀琉斯一动不动，只有在说话时，他的呼吸才变得急迫，并且是在对死去的朋友说话。

宙斯从天上怜悯地望着这个悲哀的人，随即迅速转向他的女儿雅典娜说道："我忠实的女儿，你的心难道不再牵挂那个高贵的英雄？就是坐在那儿那个当其他人去用餐时，自己却滴水不沾地为他的朋友悲伤的人！起来，立即向他胸膛注入琼浆和美食，使他振作起来，好让他在战斗中不会感到饥饿！"

女神像一只鹰挥动双翼一样急速穿越高空，她早就在渴望帮助她的朋友。这时军队正匆忙地准备战斗，雅典娜轻柔地和不被人注意地把琼浆和美食注入阿喀琉斯的胸中。随后她返回她父亲的宫殿。

这期间希腊人从船上蜂拥而出，头盔相碰，盾牌相击，胸甲相撞，长枪相交。整个大地被青铜耀亮，在他们脚下轰鸣。他们中间的阿喀琉斯开始武装自己，他咬牙切齿，眼中冒火。他拿起神赐的装备，先束上胫甲，然后穿上胸甲，把宝剑挂在肩上，握起盾牌，随之戴上沉重的头盔，上面高高的金色羽饰在头上晃动。他穿上他的铠甲，觉得他的装备像翅膀要让他从地上飘起来一样。奥托墨冬和阿尔喀摩斯套上战马，在每一匹马嘴里放上嚼环，把缰绳系在座位上。奥托墨冬跃上战车，武器熠熠发亮，随他之后阿喀琉斯起身上车。"神马，"他朝父亲的这些神驹喊道，"我要告诉你们，在我们进行完战斗之后，你们要把你们乘载的英雄们带回军营，不要像帕特洛克罗斯那样，你们让他死于荒野，弃他不顾。"

在他说这番话期间，他得到一个可怕的神谕。他的神马克珊托斯垂下它的头，使波浪般的鬃毛从轭环中涌了出来直拂到地面。女神赫拉突然赋予它说话的能力，它在轭中悲哀地回答他说："好的，强大的阿喀琉斯，我们现在载着你，生龙活虎般勇往直前。但死亡的日子已经临近你了。帕特洛克罗斯的死亡和赫克托耳的胜利不是由于我们的疏忽或者失职，而是因为命运和神祇的掌控。我们能和风中最快的西风神仄费洛斯一比高下并且不会疲倦。但你的命运已经注定，要死于一个神祇之手。”神马还要继续说下去，但复仇三女神的威力阻止了它。阿喀琉斯悻悻地回答说：“克珊托斯，你为什么跟我说到死亡？不需要你的预言，我自己知道，命运已经在这里捉住了远离父母的我。但我如果不在战斗中杀死足够的特洛伊人，我是不会停下来的！”随后他大声吼叫，策马前进。

人和神祇之战

在奥林匹斯山上，宙斯召开了一次众神会议。在会上，他允许神祇随自己的意愿去帮助特洛伊人或希腊人。根据这个旨意，众神立即分道扬镳：众神之母赫拉、帕拉斯·雅典娜、波塞冬、赫耳墨斯和赫淮斯托斯奔向希腊人的舰船；阿瑞斯到特洛伊人那边，随他一道的有福玻斯·阿波罗和阿尔忒弥斯（希腊神话中的狩猎女神，宙斯之女）以及他俩的母亲勒托，河神斯卡曼德洛斯和阿佛洛狄忒。

在众神还没有加入到进攻的队伍中之前，希腊人已经稳占上风，因为令人恐惧的阿喀琉斯又在他们之中了。特洛伊人一从远处看到身披闪闪发亮的铠甲如可怕的战神般的珀琉斯儿子时，就害怕得四肢发抖。但神祇们突然出现在两军之前，又使战斗变得不可预料了。雅典娜时而站在墙外，时而站在海边高声呐喊。在另一方，阿瑞斯在激励特洛伊人，他像风暴一样在咆哮。专司纷争的女神厄里斯在双方之间来回奔跑，此时战争的统治者宙斯从奥林匹斯山上发出可怖的雷霆。波塞冬从下面摇撼大地，使众山之巅和伊得山的地基都动荡不止，甚至黑夜之王普路同都从宝座上惊恐地跳了起来，因为他怕大地裂开会使他的秘密王国暴露在人和神祇的面前。随后神祇之间开始了直接的战斗。阿波罗用他的弓箭与海神波塞冬交手，雅典娜对抗的是战神阿瑞斯，阿耳忒弥斯用她的弓同众神之母厮杀，赫耳墨斯和勒托交锋，赫淮斯托斯对抗的是斯卡曼德洛斯。

在神和神相互厮杀时，阿喀琉斯在人群中寻找赫克托耳。但化身为普里阿摩斯儿子吕卡翁的阿波罗使英雄埃涅阿斯与他碰面；埃涅阿斯身披闪耀光华的青铜铠甲，一身是胆，火速冲到最前面。可赫拉在人群中看见了他，她很快把与她站在希腊人一边的神祇召集在一起说道："你，波塞冬，你，雅典娜，你们两人考虑考虑，现在我们的事该怎么办才好。那边，阿波罗促使埃涅阿斯去对抗阿喀琉斯。我们必须把他撵回去，或者我们之中的一个必须增强阿喀琉斯的力量，使他觉得强大的众神是站在他这一边的。今天特洛伊人绝不能伤害他，我们也正是因此才下奥林匹斯的。此后他得顺从命运女神在他出生时所注定的天数。"

"赫拉，要好好考虑一下，"波塞冬回答说，"我不愿意和你们联合起来去反对别的神祇。这不合适，因为我们太强大了。不如让我们作壁上观。但如果阿瑞斯或阿波罗首先发难，去妨碍阿喀琉斯让他不能自由地进行厮杀的话，那我们就有了去参加战斗的理由。这样我们的对手肯定被我们的力量慑服，然后被赶回到奥林匹斯众神中间！"海神没有等待回答就首先登上赫拉克勒斯城墙。其他神祇跟随他，于是他们都坐在那儿，裹在一片浓密的云雾之中。阿瑞斯和阿波罗则坐在对面的卡利科罗涅山丘上。这些神祇就这样分离开来，守候在那里，他们相距不远，而且做好了战斗的准备。

这期间战场四周士兵聚集，战士的武器和战车闪闪发光。大地在他们的脚下隆隆作响。突然间从双方阵营里跃出两个人来，一个是安喀塞斯的儿子埃涅阿斯，另一个是珀琉斯的儿子阿喀琉斯。埃涅阿斯沉重的头盔上的羽饰在摇曳，他把巨大的牛皮盾牌护在胸前，恫吓地晃动他的长矛。随着他将长矛掷了出去，空气在阿喀琉斯盾牌四周发出回响。可这次投射只穿透了最外边的两层青铜，而里面的由锡和黄金制成的坚硬的部分挡住了矛头。现在阿喀琉斯也挥动起他的长矛，它击中埃涅阿斯盾牌的外层边缘上，这是由青铜和牛皮制成的最薄的部分。埃涅阿斯蹲了下去并由于恐惧而把盾牌擎向高空，长矛呼啸着穿透两层盾边，越过他的肩膀，紧贴在他的身边，直落在地上，埃涅阿斯在死亡面前感到一阵晕眩。这时阿喀琉斯挥动宝剑吼叫着冲了过来。埃涅阿斯立即举起一块两个凡人都无法举起的巨石掷了过去。若是他用巨石击中了阿喀琉斯的头盔或盾牌的话，那他也肯定死于对手的宝剑之下。

这时坐在赫拉克勒斯围墙上厌恶特洛伊人的众神甚至对此也起了恻隐之心。波塞冬说道："如果埃涅阿斯因为听从了阿波罗的话而命丧地府，那确实是遗憾的。我也害怕宙斯因此而发怒，他虽然憎恶普里阿摩斯家族，但不想把它完全毁灭。这个王族应该通过埃涅阿斯一代一代传承下去。"——"你可以做你愿意做的事，"赫拉回答说，"但是我和雅典娜，我们发过誓，无论特洛伊人发生怎样的不幸，我们都不会罢手。"

他们的谈话只是瞬间的事。波塞冬投身到战斗中，他隐去身形，把长矛从埃涅阿斯的盾牌上拔了出来，放到阿喀琉斯的脚下，用一团浓雾遮住这位英雄的眼睛。他自己把埃涅阿斯抛起，越过战车和士兵，直落到战场的边缘，那儿特洛伊的同盟军考科涅斯士兵正在做战斗的准备。

“埃涅阿斯，”波塞冬斥责他救出来的英雄，“是哪个神迷住了你的眼睛，竟然去同众神的宠儿，远比你强大得多的阿喀琉斯作战？此后，你一遇到他时就要退避。当他的劫数已经到了时，那你就可以安心地在最前面冲锋陷阵！”说完，波塞冬离开了他并撤去阿喀琉斯眼前的浓雾。阿喀琉斯惊奇地看到他脚下自己的长矛并发现敌人已经消失不见。“他在神的帮助下跑掉了，”他愤愤地说，“他的逃跑已经是常事了。”随后他返回他的队伍，鼓励他们进行战斗。

但在另一面，赫克托耳也在激励他的士兵，随之发生了一场激烈的肉搏战。当阿波罗看到赫克托耳狂热地迎向阿喀琉斯时，他就在他的耳边提出警告，于是赫克托耳惊恐地返回他的战士中间。阿喀琉斯却在敌人中间冲杀，他的第一支投枪把勇敢的伊菲提翁的脑袋击碎，使他倒地死去，躺在最前面的一群密集的士兵中间。随后阿喀琉斯射穿了安忒诺耳的儿子得摩勒翁的额头，当希波达玛士刚一从战车上跃下时，阿喀琉斯的长矛又刺穿了他的背部。

当赫克托耳看到阿喀琉斯怎样把他的兄弟刺倒在地时，他眼前一团黑暗。他不能再长时间脱离战斗，即使有神的警告，他依然径直地冲向阿喀琉斯，挥动他的像一道闪电一样发出亮光的长矛。阿喀琉斯一看到他便兴奋不已。“就是这个人，”阿喀琉斯说，“他使我肝肠寸断。赫克托耳，我们还要彼此再逃避吗？再靠近些，这样你就会死得更快些！”——“我知道你多么勇敢，”赫克托耳毫不畏惧地回答，“我也知道该离你多远。可谁知道，众神不会保佑我的长矛去夺取你残忍的性命？虽然它出自一个比你弱的人之手。”说罢他就把长矛掷向敌人。但站在阿喀琉斯身后的雅典娜，却用轻轻的一口气把长矛吹落在阿喀琉斯的脚下。

现在阿喀琉斯冲了过去，朝着敌人刺了过去，可阿波罗用浓雾罩住了赫克托耳，把他拖了开来，冲了过来的阿喀琉斯三次都没有刺中。当第四次又落空了时，他咆哮起来，喊道："你又一次逃脱了死亡，你这条狗，一定是向你的阿波罗祈求了。但若是一个神下次也伴随我的话，那你就再也逃脱不掉毁灭。现在我要去杀死另外一些人。"说罢他就用长矛刺穿得律俄普斯的脖颈，使他栽倒在脚下。随后他用投枪洞穿了得摩科斯的膝盖，用剑劈开了比阿斯两个儿子拉俄戈诺斯和达耳达诺斯的面颊，使他们倒在地上，刺穿了特剌刻人里格摩斯的肚子，把他的驭手阿瑞托俄斯一枪就从战车的座位上挑了下来。这个神一样的英雄在暴怒，他的战马践踏着盾牌和尸体在狂奔。

阿喀琉斯同河神斯卡曼德洛斯之战

当溃逃者和追逐者到达斯卡曼德洛斯河时，一部分逃向前一天赫克托耳战胜希腊人的平原。赫拉在他们上方布下一片浓云，阻止他们继续逃跑。而另一部分则冲进咆哮的河流，他们像一群被大火驱赶进水的蝗虫一样进行挣扎。阿喀琉斯把长矛放在河岸，手执宝剑跳下去追赶。不久河水被鲜血染红，在他的劈击之下，不时从波浪里发出呻吟声。他像一头凶残的野兽，当他的双手由于杀人而逐渐变得麻木时，他还把十二个年轻的特洛伊人揪出水面，交给他的士兵，因为他要用他们在自己的帐篷里来献祭他死去的朋友帕特洛克罗斯。

站在特洛伊人一边的河神斯卡曼德洛斯目睹这一情景后十分恼怒，他在考虑，如何阻止这个可怕英雄的为所欲为，解救他所保护的人。这期间阿喀琉斯手执长矛冲向派俄尼亚人阿斯特洛派俄斯，后者手执两支长矛刚从河中跃出。河神向他的灵魂中注入了勇气，这使他对这个残酷无情的屠夫极端愤怒，并无所畏惧地迎向阿喀琉斯这个杀人狂。“你是谁，竟敢同我较量?”阿喀琉斯朝他喊道，“只有出身不幸的孩子才敢试试我的力量。”阿斯特洛派俄斯回答他说：“你问我的出身做什么？我是河神阿克西俄斯的孙子，珀勒工是我的父亲。在十一天前我同我的派俄尼亚人来到此地，是特洛伊人的同盟者。但现在，高贵的阿喀琉斯，你得同我作战。”珀琉斯的儿子举起投枪，而阿斯特洛派俄斯却同时掷出了两支投枪，每只手各掷出一支。一支刺中阿喀琉斯盾牌的隆起部，但没有击碎盾牌，另一支擦伤了对手右臂的肘部，鲜血立即涌了出来。

现在阿喀琉斯才掷出他的投枪，但没有击中敌人，直射入河岸，没进半截。阿斯特洛派俄斯用他强壮的手连拔了三次，都没能把它从地里拔出。当他第四次发力时，阿喀琉斯已手执宝剑冲了过来，劈开他的身体，使他呻吟着倒地死去。阿喀琉斯欢呼着把他的铠甲剥下，让尸体成为鳗鱼的食物。

阿喀琉斯立即冲入派俄尼亚人中间。有七个人已死于他的剑下，这时斯卡曼德洛斯——河流的主宰者，他化身为人形，突然愤怒地从河水深处浮现出来，并向英雄喊道：“珀琉斯的儿子，你这凶残暴虐、毫无人性的家伙！我的河水里塞满了尸体，它都难以流入大海了！”——“我听从你，因为你是一位神祇，”阿喀琉斯回答说，“但在我把特洛伊人赶回进城里，与赫克托耳进行一场力量与力量的较量之前，我是不会让我的双臂停止杀戮的。”他说毕就冲入溃逃的特洛伊人中间，把他们重新逼回到岸上。当他们向河里逃命时，阿喀琉斯也重又跳了下去，完全忘记了神的命令。

于是河流狂暴地掀起巨浪，愤怒的河水波涛汹涌，咆哮着把死尸抛到河岸，巨浪恐怖地击打阿喀琉斯的盾牌。他用双手抓住一棵榆树，把它连根拔出，爬上树干，漂到岸上。但河神用狂涛巨浪紧追不舍，波浪没过了他的双肩，把他脚下的土地冲刷一空。英雄向上天哀告："宙斯父亲，难道没有一个神祇可怜我，把我从河流的暴力中拯救出来吗？我的母亲欺骗了我，她曾预言，说我会死于阿波罗的神弓之下。我宁愿被强中之强的赫克托耳杀死！可我却要耻辱地死于河水之中，像一个牧猎人的孩子在冬天涉渡湍流时被水冲走一样！"

他正在这样哀叹时，波塞冬和雅典娜化身为人形，一同来到他跟前，抓住他的手，安慰他说，命中注定他不会死于激流之中。两位神祇再度离开他，但雅典娜给了他力量，使他能从河水中逃命。可斯卡曼德洛斯依然怒气不止，于是掀起越来越猛烈的巨浪并大声招呼他的兄弟西摩伊斯："快来，让我们一同制服这个人，否则他今天就会把普里阿摩斯的卫城夷为平地！起来，帮助我，把山泉招来，鼓动起每一条急流，把你的河水抬高，卷来巨石！他的力量，他的铠甲都救不了他；让他陷在深深的泥淖里，用淤泥埋葬他。我自己抛上贝壳、沙砾和沙土，让希腊人连他的尸首都找不到。这样我就给他堆个坟丘，让希腊人不必给他建造个纪念碑了！"在叫喊的同时他把泡沫、血污和尸体都涌向阿喀琉斯，很快他就被波浪吞没。

赫拉看到这个情景，为她的宠儿害怕得大声叫了起来。她火急火燎地对赫淮斯托斯说："亲爱的瘸儿，只有你的火能制服强大的河流，帮助阿喀琉斯。我自己从海边鼓起西风和南风，使恐怖的火焰直冲入特洛伊人的军队中去。你在河边燃烧起来，把它烧焦。不要为任何甜言蜜语所打动，不要为任何恐吓威胁而畏缩。这场大火定能制止这场灾难！”

随着赫拉的话，赫淮斯托斯的烈火扑向原野，先是烧毁了死在阿喀琉斯手下的尸体，随后田野枯焦，河水干涸；烧焦了河岸上的榆树、椰树，赤柽（chēng）和青草。到最后整个河流本身也烈火升腾，河神斯卡曼德洛斯从河中呻吟：“火神，我并不想与你作战。让我们停止战斗！特洛伊人和阿喀琉斯的争斗与我有什么相干！”随后他大声地向众神之母哀求：“赫拉，为什么你的儿子赫淮斯托斯这么可怕地折磨我？比起那些站在特洛伊人一边的其他神祇，我没有更多的过错。但现在，如果你下命令的话，我愿意安静下来，只是他也要让我安静！”这时赫拉对她的儿子说：“停下来，赫淮斯托斯，你不要为了凡人而再继续使一个神祇受苦了！”随之火神吹熄了他的烈火，河流退回它的河岸，远处的西摩伊斯河神也使他的河水平静下来。

神祇之间的战斗

另外一些神祇却相反，他们心中燃起了强烈的敌意，彼此之间厮杀起来，使大地在震动，使四周空气像喇叭一样在轰鸣。坐在奥林匹斯山头的宙斯目睹了这一切，当他看到众神之间爆发了一场剧烈的战斗时，他的心由于兴奋而跳动起来。先是战神阿瑞斯冲在前面，他手执青铜长矛奔向雅典娜，这同时他用恶毒的语言辱骂她：“你这不知羞耻的苍蝇，是什么使你如此卑鄙无耻地挑起众神之间的战斗？你知道，你是如何唆使堤丢斯的儿子用投枪来伤害我，你自己是如何用锃亮的长矛来刺伤我不朽的身体吗？现在我们该来结清这笔账了，你这放肆的家伙！”说罢他敲击他那可怕的神盾并用长矛刺向女神。雅典娜躲开了，并抓起平原上的一块巨石，击中暴怒的阿瑞斯的脖颈，使他跌倒在地，青铜铠甲叮当作响。他的长发沾满了尘土。雅典娜笑了起来，并欢快地说："蠢家伙，你大概从来没想到，我的力量要胜过你很多吧，你居然敢和我较量！现在你要为你母亲赫拉的诅咒付出代价了，她恨你居然放弃对希腊人的支持而去保护傲慢的特洛伊人。"

宙斯的女儿阿佛洛狄忒把逐渐缓过气来但依然呻吟不止的战神带出了战场。当赫拉发现他们俩时，她对雅典娜说道："雅典娜，难道你没看见那个好心的爱神竟敢把凶残的屠夫阿瑞斯从这场决战中带走？你不想赶快追上去吗？"于是雅典娜冲了过去，对准温柔的爱神的前胸击上重重的一拳，使她倒在地上，受伤的战神也一同栽倒。

"所有那些敢于支持特洛伊人的，都是这样的下场！若是我们中的每一个都像我这样支持希腊人的话，那我们早就安静下来了，特洛伊早就在我们手中化为瓦砾了。"当赫拉看到这一切时，她微笑着说道。

现在海神波塞冬转向阿波罗，他说："福玻斯，我们为什么要站得这么远，其他神不都已经开始作战了吗？如果我们俩不彼此较量一番的话，那返回奥林匹斯对我们来说可是一种耻辱。你比我年轻，你先开始吧！你犹豫什么？难道你完全忘了，我们为了特洛伊，忍受了多少可恨的事情？比所有众神都多得多。我们俩为傲慢的拉俄墨冬修建了特洛伊城墙，而他对我们的报答却是那样可鄙。你大概不再去想这件事，否则你就会与我们一道去毁灭特洛伊人，而不是援助那个狡猾的国王的后人！"

"海洋的统治者，"阿波罗回答他说，"如果我因为那些像风中残叶一样会死去的普通人而与你——令人敬畏的神祇，进行战斗的话，那我还有什么理智可言?”

阿波罗的妹妹阿耳忒弥斯一听到这话就嘲笑说：“你要在战场上逃跑，把胜利拱手让给吹牛皮的波塞冬？你这个笨蛋，你肩上为什么要扛上一张弓？它是一文不值的儿童玩具?”但赫拉对她的嘲笑感到恼火。“你在想什么？你因为背上有一张弓就敢与其他神祇进行较量？你竟这样不知羞耻的?”赫拉说，“真的，也许你到森林里去射杀一只野猪或一只牡鹿，比鲁莽地去与强大的神祇作战更好些！可因为你如此不知天高地厚，我就让你尝尝我的厉害!”她用左手捉住阿耳忒弥斯双手的手腕，用右手扯下她肩上的装满箭镞的箭袋，并狠狠地打她的耳光，使箭镞从箭袋中叮当地散落满地。阿耳忒弥斯丢下它们，含着泪水逃向奥林匹斯山。她哭着坐在父亲宙斯的膝上，她的精美的、散发着芳香的衣服由于四肢的颤抖而飘动不已。宙斯怜爱地把她抱在怀中，露出慈祥的微笑，对她说道：“我可爱的小女儿，是哪一个神竟敢欺负你?”

“父亲，”她说，“你的妻子，凶狠的赫拉侮辱了我，她挑动众神相互厮杀。”宙斯笑了，轻轻抚摩她，安慰她。

在下界，阿波罗进了特洛伊城，因为他害怕希腊人今天就攻破这座美丽城池的高墙，这是违背命运女神的意志的。其余的神祇都返回奥林匹斯山，他们中一部分充满了胜利的喜悦，另一部分则感到愤恨和气恼，他们都围着雷霆之神宙斯父亲坐了下来。

阿喀琉斯和赫克托耳在城门前的决斗

白发苍苍的国王普里阿摩斯站在城市的一个高耸的塔楼上，看到威武的阿喀琉斯如何追赶溃逃的特洛伊人，没有一个神祇或一个人出来阻挡他。国王哀叹地从塔楼上走下来，提醒城墙的守卫者："打开城门，让所有逃命的士兵都进入城内，阿喀琉斯快接近他们了，我怕会出现一个很糟的结局。"守城的士兵把门闩撤下，大门分向两边，一条救命之路敞了开来。

特洛伊人灰头土脸地穿过田野向城里逃命，阿喀琉斯手执长矛像个疯子似的在后面追赶。这时阿波罗离开敞开城门的特洛伊，去解救那些祈求他保护的人。为了鼓励英雄阿革诺耳，阿波罗隐身在浓雾中间，紧挨着宙斯的圣榉树，站在阿革诺耳的身旁。于是，阿革诺耳成为特洛伊人中的第一个在逃命中停下脚步的人。他在思忖，并自言自语说："是谁在追赶你？难道他不也是一个像其他人一样的普通人吗？"他镇静下来，等待冲过来的阿喀琉斯。他举起盾牌，挥动投枪，朝阿喀琉斯喊道："蠢人，你不要想这么快就毁灭特洛伊人的城市。在我们中间还有男子汉，起来保护双亲、妻子和儿女！"说着他的投枪就击中了阿喀琉斯的锡制的护膝，可投枪被弹落了。阿喀琉斯冲向他的对手，阿波罗却把阿革诺耳裹在雾中使他脱身，而自己施展了一个诡计转移阿喀琉斯的追赶方向。他本人化身为阿革诺耳，穿越麦田，向斯卡曼德洛斯河跑去。阿喀琉斯在后面紧追不舍，想在追赶中抓住他。

这期间特洛伊人顺利地穿过敞开的城门逃回城里，很快城内挤满了聚集的士兵。没有一个人在等待另一个人，没有一个人环顾四周，看看谁得救了，谁战死了。所有的人只对能逃回城内感到庆幸。在这儿他们拭干汗水，饮水止渴，并且沿着城墙在雉堞旁躺了下来。

可希腊人肩上扛着盾牌，以密集的队形向城墙奔来。在所有特洛伊人中，只有赫克托耳一人留在斯开亚大门外面，因为这是命运的安排。但阿喀琉斯还在一直追赶阿波罗，他把他当作阿革诺耳。这时神祇突然停了下来，转过身用神的声音说道："你为什么对我穷追不舍？阿喀琉斯，难道你为了我而忘记了去追赶特洛伊人？你认为你追逐的是一个人，可你追赶的是一个你不能杀死的神。"阿喀琉斯突然醒悟，他愤怒地叫喊道："残忍的、狡诈的神！你把我从城墙引开！你剥夺了我的胜利荣誉，把他们安全地救了出来，你是一个神，不怕复仇，可我多么想对你进行报复啊！"

阿喀琉斯转过身去，像一匹烈马那样狂暴地扑向特洛伊城。首先看见他的是又坐在塔楼倚望台上的苍老的国王普里阿摩斯。老人用双手捶击前胸，悲哀地朝着站在斯开亚大门外，亢奋地等着阿喀琉斯的赫克托耳喊道："赫克托耳，我宝贵的儿子！你为什么要一个人留在城外，与其他人分开？难道你要自己鲁莽地投入这个杀人狂的双手？他已经夺去了我多少勇敢的儿子的性命！快进城来，保护特洛伊的男人和女人。不要用你的死来增加阿喀琉斯的荣耀！你也可怜可怜你那悲惨的父亲，宙斯诅咒他，让他在痛苦中一直活到这般年纪，目睹无休无止的灾难！我不得不亲眼看到我众多的儿子被杀害，我众多的女儿被抢走，我的王宫内室被劫掠，蹒跚（腿脚不灵便，走路缓慢、摇晃的样子）学步的孩子们被掷在地上死去，我的儿媳们被掠去为奴。到最后我自己躺倒在宫殿的门前，被一支投枪击毙或被一支长矛刺死，而我喂养过的那些家狗则吃我的肉，舔我的血！"

老人从塔楼上向下叫喊，撕扯他那灰白的头发。赫克托耳的母亲赫卡柏也出现在丈夫的身边，她撕扯她的衣服，哭着朝下喊道："赫克托耳，想想我对你的抚养，可怜可怜我吧！到墙后面来，去打败那个可怕的人，但不要在墙外与他作战，你这疯子！"

双亲的大声叫喊和哭泣都不能改变赫克托耳的念头。他动也不动地停在当场，等候着前来的阿喀琉斯（赫克托耳并不好战，但为了妻儿的幸福和国家的安全，他勇敢地面对阿喀琉斯的挑战）。

赫克托耳之死

阿喀琉斯越来越近，他像战神一样威严可怕。他右肩上的白蜡木杆长矛在颤动，他的铠甲在他四周熠熠闪亮。赫克托耳一看到他，便不由自主地浑身战栗。他无法再静止不动，他转过身朝城门奔去，但阿喀琉斯如一只扑向鸽子的雄鹰般追了过来。赫克托耳沿着特洛伊城墙，顺着车道逃跑，越过斯卡曼德洛斯河的两股咆哮的源头——一个是冷水一个是热水——围着城墙跑个不停。一个强者在逃，一个更强的人在追，他们围着普里阿摩斯的城墙跑了三圈。众神都在奥林匹斯山上紧张地观望这场战斗。“你们这些神，”宙斯说，“好好考虑吧，决定的时刻已经到了。现在的问题是，让赫克托耳再一次逃脱死亡呢，还是不管他多么勇敢，都得让他死呢？”雅典娜说：“父亲，你想到哪儿去了？对于一个劫数已到的凡人，你还要使他摆脱死亡？你可随你的意愿去做，但不要希望众神会赞同你的意见！”宙斯朝他的女儿点了点头，她像一只鸟似的从奥林匹斯山岩上直飞向战场。

赫克托耳还一直跑在他的追逐者的前面，阿喀琉斯像一条猎狗那样穷追不舍，一点儿也不给他喘气和休息的机会。阿喀琉斯向他的士兵示意，不要向赫克托耳投掷武器，这会夺走他第一个也是唯一一个打败希腊人的最可怕的敌人的机会（不容其他人干预，阿喀琉斯要亲自为朋友帕特洛克罗斯报仇）。

当他俩围着城墙跑到第四圈，抵达斯卡曼德洛斯河的两个源头时，宙斯从奥林匹斯山上立起身来，擎起金色的天平，放上两个死亡的砝码，一个是阿喀琉斯的，另一个是赫克托耳的。他把它摆正，然后加以称量。赫克托耳这一头低了下来，直倾向冥府，这一瞬间阿波罗离开了；而雅典娜女神走到阿喀琉斯身边，轻声对他说："停下来，休息一下，我去劝说那个人勇敢地与你作战。"阿喀琉斯听从女神的话，拄着他的白蜡木矛杆停住脚步。雅典娜则化身为得伊福玻斯，走近赫克托耳，对他说："啊，我的哥哥，珀琉斯的儿子紧追你不放！来吧，让我站住，把他击退。"赫克托耳一看到他便高兴地说道："得伊福玻斯，你一直是我最忠实的弟弟，而现在我对你更加敬重，因为当其他弟兄躲在大墙后面时，你却敢出城与我站在一起！"

雅典娜向赫克托耳招手，走在他的前边，向正在休息的阿喀琉斯走去。赫克托耳首先向他喊道："我不再躲避你了，珀琉斯的儿子！我的心在驱使我迎向你，我杀死你或者你杀死我！但让众神为证，我们要立下誓言：如果宙斯保佑我得胜，我将不再虐待你，而是在剥掉你的铠甲之后把你的尸体交还给你的同胞。你对我要同样如此！"

"不要讲什么条件！"阿喀琉斯阴恻地回答，"正如狮子和人不能结盟，在狼和羊之间不存在和睦一样，在我们之间也没有什么友谊。我们之中必须有一个血染黄沙！把你的本领施展出来，你必须既是一个投枪手又是一个击剑手。你用长矛给我的朋友所造成的痛苦，现在你得一次性来偿还！"

阿喀琉斯说完便投出他的长矛，可赫克托耳蹲了下来，长矛飞越过去插入地里。雅典娜把它拔了出来，立即偷偷地交还给阿喀琉斯，不让赫克托耳看见。赫克托耳也愤怒地把他的投枪掷出，它没有落空，击中了阿喀琉斯盾牌的正中心，但它滑落了。

赫克托耳惊愕地转向得伊福玻斯，因为他手中没有第二支投枪可用，但他的弟弟不见了。赫克托耳立即醒悟过来，刚才是雅典娜在蒙骗他。

赫克托耳意识到，他的命运现已注定。可他不愿意不光彩地死去，他从剑鞘中拔出巨大的宝剑，像一只鹰从空中扑向一头羊羔一样冲了过去。阿喀琉斯并没有等待，他用盾牌掩护自己迎将上来。他的头盔在抖动，羽饰在摇曳，他左手挥动的长枪在闪光。他在窥伺赫克托耳的身体，他在寻找机会，以便发出致命的一击。可赫克托耳用夺来的铠甲将自己护得严严实实的，只有连接肩膀和脖颈的锁骨的地方有少许的裸露。阿喀琉斯急速地刺出一枪，狠狠地刺中了他的脖颈，使枪尖直穿过喉咙。赫克托耳用最后一口气向阿喀琉斯乞求说："阿喀琉斯，面对你的生命，你的双膝，你的父母，我恳求你，不要把我弃于船旁让野狗撕碎吞食！随你要多少青铜、黄金，把我的尸体送回特洛伊，让那儿的男人和女人给予我火葬的荣誉。"

但阿喀琉斯摇摇他那可怕的脑袋说道："你不必面对我的双膝，向我的父母恳求什么，你这杀害我朋友的凶手！即使你的同胞给我二十倍的赎金，我也要拿你的脑袋来喂野狗。"——"我认识你了，"赫克托耳临死前呻吟说，"你是铁石心肠！当神祇为我复仇，你在斯开亚门前被阿波罗射中倒地像我现在这样时，你就会想到我的！"说罢这个预言，他的灵魂离开了肉体，飞入冥府。阿喀琉斯朝着死者喊道："你去死吧，我接受命运的安排，就满足宙斯和众神的意愿好了！"说着他就把长枪从尸体中拔出，放到一旁，随后他从死者的肩上剥下原属于自己的那副血淋淋的铠甲。

这时从希腊军队中跑来许多士兵来观看赫克托耳的尸体。阿喀琉斯站在他们中间说道：“朋友们和英雄们！众神保佑我征服了这个男人，他给我们造成的灾难比其他所有人合起来的还要多，现在让我到特洛伊城去显示一下我们的力量，去看看他们是否会把这座城堡拱手让出，或者是否没有赫克托耳他们也敢于进行抵抗。可我在讲些什么呀？我的朋友帕特洛克罗斯还躺在船上没有安葬呢！男子汉们，唱起凯旋之歌，让我们首先把我为我的朋友杀死的牺牲带给他！”

说完这席话，这个残忍的人又重新转向赫克托耳的尸体，在两只脚肋骨和脚跟之间的肌腱处刺穿个洞，用牛皮带拴上，绑在战车上，随后跃上战车，举鞭策马，拖着死尸直奔舰船。车后卷起一团尘土。赫克托耳刚才还英俊的头颅在沙地上犁出一条宽宽的小沟，头发已乱蓬蓬的，被毁得不成样子。赫克托耳的母亲赫卡柏从城墙上目睹这一惨状，抛下她头上的面纱，悲泣地望着她的儿子。国王普里阿摩斯也在痛哭和悲叹。特洛伊人和同盟军的哀号和恐惧的叫喊声响彻整个城市（侧面描写，通过写众人的哀号和痛苦，表现赫克托耳在特洛伊人心中极高的威望）。年迈的国王几乎把持不住自己，在愤怒和痛苦中冲出城门去追赶杀害他儿子的凶手。他倒在地上呼喊：“赫克托耳，赫克托耳！你的死使我忘记了我的敌人杀害的其他儿子！哦，你应该死于我的怀中啊！”

帕特洛克罗斯的葬礼

阿喀琉斯带着他的敌人的尸体来到舰船，随即就把这尸体脸朝下放到帕特洛克罗斯的灵床旁边。这期间希腊人都解下了他们的铠甲，成千上万人都坐在阿喀琉斯舰船的四周参加隆重的殡宴。阿喀琉斯宰杀牛、羊、猪，为战士们准备了丰盛的酒席，而他本人则被他的战友从朋友的尸体旁拉走，进入阿伽门农国王的帐篷。这儿有一只巨大的水罐放在火上，供阿喀琉斯洗去四肢上的血污之用。但他顽固地加以拒绝，并且立下誓言："不，以宙斯为证，在我为帕特洛克罗斯举行火葬之前，在我剪去头发和为他树立一个墓碑之前，我绝不让一滴水弄湿我的额头！最好我们现在就举行悲哀的殡宴，明天到森林中伐树。阿伽门农国王，我请求你为我朋友的葬礼备好一切所需，使悲哀的火焰在我们面前很快升起，使士兵们重新做好战斗准备！"诸王满足他的愿望，围坐在一起，享用殡宴。随后他们各自归营就寝，阿喀琉斯却在海滨躺了下来，四周是他的密耳弥多涅斯士兵，这儿的沙滩被海浪冲刷得十分干净。

他躺在沙地上还长时间为死去的朋友哀叹。当他终于入睡时，帕特洛克罗斯在梦中出现了并对他说道："阿喀琉斯，给我造一座坟，我迫切要求进入冥府的大门！直到现在我只是在四处游荡，那儿的守卫者不允许我入内！在我被火葬之前，我无法得到安息。你必须知道，朋友，你的命运已经被安排好了，你将死于离特洛伊城门不远的地方。因此你要造一座能容我们俩并排躺下的坟墓，就像我们俩在你父亲的宫殿一同长大时那样。"——"兄弟，我向你发誓，我会按你说的去做！"阿喀琉斯喊道并向阴影伸出双手，但这个灵魂像一股烟雾一样消失到地里。

翌日当朝霞升起时，阿伽门农命令士兵和骡子全都离开帐篷，墨里俄涅斯走在前面。在伊得山的高处，他们伐倒了最高的一些树，劈成木柴，放到骡子身上，然后将它们运到山下，驮到舰船旁边。士兵们也扛着木头，到海滨把它们排列起来。现在阿喀琉斯命令他的密耳弥多涅斯人披上青铜铠甲，套上战车；成千的步兵密集地跟在后面。帕特洛克罗斯的尸体在中间，由他的战友和朋友抬着，上面覆盖着他的卷发，这是他们剪下来并撒在他的尸体上的；阿喀琉斯双手蒙头，陷入深深的悲哀之中。

他们到达了墓地，把灵床放了下来，整个森林的树木被垒成了一个个葬堆。阿喀琉斯剪下他的一绺褐发，凝视着阴沉的海水，说道："哦，我故乡忒萨利亚的斯珀耳刻俄斯河啊，我的父亲珀琉斯许的愿落空了，我本应该在返乡时为你剪下我的头发，向有着圣林和祭坛的源头祭祀五十头公羊！河神，你没有听到他的祈求！你不让我返回家园。当我把我的卷发献给我的朋友帕特洛克罗斯，让他带到冥府去时，请不要对我生气！"说罢这话他就把他的头发放到朋友的双手上，然后走向阿伽门农并说道："请吩咐士兵分散开来去就餐，让我们完成殡葬仪式。"

按照阿伽门农的命令，士兵们分散回到舰船，只有参加殡葬的诸王留在当场。他们用伐倒和砍好的树干垒成一个架子，把尸体置放在上面。用作祭祀的牲畜被抛到木堆上，盛有蜂蜜和香膏的罐子被放在灵床上；随后他们从俘虏中挑选出十二个勇敢的特洛伊青年用来献祭给死者，因为阿喀琉斯的复仇是没有止境的。在点燃起火葬堆时，阿喀琉斯向死者喊道："帕特洛克罗斯，愿你在下界得到欢乐！我们许下的誓愿都已完成了。烈火吞噬了十二个特洛伊人。只有赫克托耳还不能这样死去，他不能被火烧死，他应该要野狗来分食！"

帕特洛克罗斯的火葬堆虽然点燃了，火焰却烧不起来。这时阿喀琉斯转身向风神柏瑞阿斯和仄费洛斯许愿，献上牺牲，并从一盏金杯中泼洒美酒，祈求他们，使木材熊熊燃起。随后不久，一股可怕的狂风从海上呼啸而来，直冲入火葬堆里。大风整夜围着火葬堆在咆哮肆虐，烈火在喷吐升腾，这期间阿喀琉斯不断地为他死去朋友的灵魂献上牺牲。风和火焰在黎明时停了下来，木材已经化为灰烬。帕特洛克罗斯的骨骸分散地躺在火炭中间，牲畜和人的尸骨混杂地散在外围。按照阿喀琉斯的命令，英雄们用红酒把炽热的火灰浇灭，含着泪水把他们朋友的白骨收集起来，放入一个金色的缸内，置放在阿喀琉斯的帐篷里。随后他们在化为灰烬的火葬堆四周用石头围出一块空地，垒土堆成一座坟丘。

殡葬之后是为了纪念死去的英雄而举行的赛事。自己并不参加比赛的阿喀琉斯号召士兵进行竞赛，项目有赛车、角斗、拳击、赛跑和投枪，优胜者有贵重的奖品，如三脚鼎、炊具、战马、骡子、牡牛和黄金。

普里阿摩斯去见阿喀琉斯

竞赛结束了，集聚起来的士兵散去，每个人都饱餐、酣睡。只有阿喀琉斯彻夜未眠，他一直在怀念被埋葬的朋友。他的心静不下来，于是沿着海岸走去。凌晨时他套上战马，把赫克托耳的尸体系在战车上，拖着他围着帕特洛克罗斯的坟墓跑了三圈，随后就把这具尸体放在尘土里。但阿波罗用他神盾的黄金护罩遮住了尸体，使它不受到损害。这期间宙斯命令阿喀琉斯的母亲忒提斯速去希腊军营，通知她的儿子，说众神对他蹂躏赫克托耳尸体的行为感到十分愤怒。

忒提斯听从了，她进入儿子的帐篷，坐了下来，一边用手抚摩他，一边温柔地对他说："亲爱的儿子，忘掉苦恼和悲哀，重新振作和欢乐起来，因为你在世上的日子不会很长了。听我告诉你宙斯说的话。他和众神对你虐待赫克托耳的尸体和把它扣留在船旁的行为极为愤慨。我的儿子，快把它交还回去，要一笔巨大的赎金。"阿喀琉斯抬起双眼，直视母亲说："就这样做好了，宙斯和神祇的命令必须照办。特洛伊人可以得到尸体。”

这同时宙斯派他的使者女神伊里斯带着自己的指示进入普里阿摩斯的城市。她在这儿除了悲伤别无所见。在宫殿的前庭，儿子们围在父亲的四周哭泣，老人坐在中间，僵直地裹在斗篷里，背上和头上落了一层尘土（背上和头上的尘土，让这个失去儿子的年迈父亲看上去又增添了一分悲伤）。女儿和儿媳们都跪在内室里，她们在为死去的英雄痛哭。这时宙斯的使者突然出现在国王面前，她轻声地低语，这使他的四肢一阵颤抖。她说：“你要镇静，达耳达诺斯的后代！不要沮丧，我通知你的不是坏消息。宙斯可怜你，他吩咐你到阿喀琉斯那儿去，向他献上礼品，赎回你儿子的尸体。你单独去，除了一个年老的使者，不要任何一个特洛伊人的陪伴。他用骡车把你送去，然后把你和死者一同载回城内。你既不要怕死，也不要惊恐。宙斯派赫耳墨斯去保护你，他会带你去见阿喀琉斯。”

普里阿摩斯相信女神说的话，他命令他的儿子给他准备一辆骡车，接着他进入用香柏木建造的内室，这儿存放有无数的珍宝。随后他喊来他的妻子赫卡柏，对她说：“可怜的女人，听宙斯传达的消息，我要到阿喀琉斯那儿去，用礼品缓解他的愤怒并赎回我们可爱的儿子的尸体。”老人这样说了，但他的妻子啜泣起来，她说道：“普里阿摩斯，你平时受人称赞的理智到哪里去了？你相信那个嗜血的杀人狂看到你会产生怜悯之情？我们最好是远远地在家里悼念我们的儿子，他的命运注定是被野狗吞食！”

“不要阻止我！”普里阿摩斯坚定地说，“只要我能把我最可爱的儿子抱在怀里，即使在船边等待我的是死亡，我也心甘情愿（普里阿摩斯对儿子的爱战胜了对死亡的恐惧，可见父爱之伟大）。”说完这话，他打开箱盖，选出十二件贵重的华丽服装，十二条地毯，同样多的睡袍和精美的斗篷。随后他称出许多黄金，拿出四个熠熠闪光的炊具，两座三脚鼎和一个珍贵的酒杯。这个酒杯是他从前驻在特剌刻做使节时得到的赠品。老人把这些作为礼物，准备送给阿喀琉斯。他把那些要阻止他的所有特洛伊人赶出大厅，召集他的儿子们，斥责说："你们这些可耻的、无用的人，为什么你们没有代替赫克托耳在舰船旁被杀死！所有好人都死了，只有坏家伙留了下来，流氓、骗子、寻欢作乐之徒，一些挥霍民脂民膏（指人民用血汗换来的财富）的家伙！马上给我备车，把这些东西放进大篮子，我好上路。"

儿子们惊恐地听从父亲的吩咐，立即牵来骡子，套上车，并把赎金和礼品放到车上。随后他们备好普里阿摩斯的马车，唤来陪伴他的年老使者。赫卡柏揪心地呈给国王一个金杯来做祭祀，普里阿摩斯提高了声音，祈祷说："宙斯父亲，伊得山的主宰，请让我在珀琉斯的儿子面前得到怜悯和宽容！也请给我一个征兆，使我能顺利地走到希腊人的舰船那里！"他的话刚一说完，一只黑翼大鹰就展开翅膀疾飞而来，擦过特洛伊城上空。所有特洛伊人看到都大声欢呼，老人信心十足地登上了马车。骡子拉着沉重的四轮车走在前面，由使者伊代俄斯牵着。在他后面，老人挥鞭策马。他的亲人都痛哭流涕地跟在后面，仿佛是送他去死似的。

车已到了城外，当普里阿摩斯和使者经过老国王伊罗斯的墓碑时，他俩停了下来，让马和骡子在河边饮水。夜幕降临，田野一片朦胧。这时伊代俄斯发现近处有一个人，他惊恐地对普里阿摩斯说："主人，你看那儿有一个人影；我怕他在窥伺，要来杀死我们。我们手无寸铁，再加上年迈，我们要么掉转车头赶快逃回城里，要么抱住他的双膝求他饶命。"一阵恐怖的战栗令老人浑身发抖，毛发耸立。现在这个人影走到跟前。他不是敌人，而是宙斯派来的使者赫耳墨斯；他带来的是幸运，是在路上来护送他挑选出的人。他握住国王的手，并不让他认出自己来。他说："老人，在漆黑的夜里你要把你的马和骡子赶到哪儿去？这时人们都在睡觉呀！可你不必担心，我来保护你，你看起来很像我的父亲。"

"真的，现在我看到了，一个神衹在保护我。但你是谁？我的好心人，你的双亲是谁？"——"我的父亲叫波吕克托耳，"赫耳墨斯回答说，"我是七个儿子中最小的一个，我是密耳弥多涅斯人，是阿喀琉斯的伙伴。"——"如果你是可怕的阿喀琉斯的伙伴的话，"现在普里阿摩斯极为焦急地说，"那你告诉我，我的儿子是不是还在船旁边，或者是不是阿喀琉斯已经把他抛给狗吃了？"——"没有，"赫耳墨斯回答说，"他还在阿喀琉斯的帐篷里，虽然十二个清晨已经过去，每次太阳升起时阿喀琉斯都无情地拖着他绕着他朋友的坟墓走上三圈，可他的尸体一点儿也没有腐烂。如果你看到他是多么神采奕奕地躺在那儿，身上没有一丝血污，伤口完全愈合时，你就会感到惊奇的。即使在他死亡后，神衹也在呵护他。"

普里阿摩斯高兴地从车上取出那个精美的杯子。"接受它吧，"他说，"谢谢你对我的保护，并请领我去见你的主人。"赫耳墨斯拒绝了这件礼物，没有得到阿喀琉斯的同意，他不敢接受这份馈赠；他跃上马车，坐在国王身边，拉动缰绳，挥动鞭子。很快，他们就抵达壕沟和围墙边，在这儿看到卫兵们正在用晚餐。赫耳墨斯用手一指，他们就都昏睡过去；用手一按，营门的门闩就推了开来。普里阿摩斯连同装载礼品的骡车顺利地来到阿喀琉斯的营房之前。这座营房四周是一片宽敞的空地，外围竖有密密的栅栏。虽然只有一道木栓锁住大门，但它十分沉重，要三个强壮的希腊人才能推上和拉开。赫耳墨斯却毫不费力地打开了门，他劝告老人抱住英雄的双膝并以父亲和母亲的名义向他恳求。随后他跳下马车，显示了神祇的身份并消失而去。

现在普里阿摩斯也从车上跳下来，把马和骡子交给伊代俄斯。他本人则径直走向阿喀琉斯的住处。这庄重的老人不被察觉地走了进来，奔向阿喀琉斯，抱住他的双膝，吻他的双手——这双手杀死了他多少儿子啊，望着他的脸。阿喀琉斯和他的朋友惊愕地看着他，老人乞求道："神一样的阿喀琉斯，想想你的父亲，他和我一样年迈，或许也受到邻国的进犯，像我一样感到恐惧和无助。可他每日都在盼望他亲爱的儿子从特洛伊返回家园。但是我，有五十个儿子的父亲，当希腊人征战到此时，在这场战争中失去了他们中的大多数；到最后因为你，我失去了唯一能保护城市和我们大家的儿子赫克托耳。为此我来到你这儿向你赎买他的尸体，我带来了许多赎金。珀琉斯的儿子，请你可怜可怜我吧，想想你自己的父亲！"

老人的这番话唤起阿喀琉斯思念父亲之苦，他温和地握住他的手。这使老人想起他的儿子赫克托耳，于是伏在他的脚下开始哭泣起来。阿喀琉斯也哭了起来，时而是为了他的父亲，时而是为了他的朋友，整个帐篷响起了一片哭声。终于高贵的英雄从椅子上立起身来，充满同情地扶起老人并说道："可怜的人，真的，你忍受了多少痛苦！现在你独自一人前来希腊人的船营，并来到一个曾杀死你那么多勇敢儿子的人的面前，这显示了你怎样的勇敢！你胸中一定有一颗铁一样的心！请你坐在椅子上吧，让我们稍许平息一下我们的悲痛。哀伤不会给我们带来任何帮助。这是命运，是神祇给我们可怜的凡人规定的命运，要我们去忍受悲哀，

而他们却无忧无虑、逍遥快乐。忍受吧，不要不停地哭泣，你无法再次唤醒你高贵的儿子！”

普里阿摩斯回答说：“宙斯的宠儿，在我的儿子赫克托耳还躺在你的帐篷里没有安葬之前，不要让我坐下。请你快点儿把他给我，因为我渴求看到他。希望你喜欢这笔丰厚的赎金，宽恕我并返回你的祖国！”

阿喀琉斯听到他的话皱起眉头说道：“哦，老人，不要激怒我！我愿意把赫克托耳的尸体交还给你，因为我的母亲给我带来了宙斯的指示。我也知道，普里阿摩斯，是一个神祇把你领到我们舰船这里的。对于一个凡人来说，即使他是一个最勇敢的年轻人，也很难有这样的胆识。因此不要再使我悲哀的心增添烦恼，否则我会忘记众神之父的命令，不会宽容你。哦，老人，即使你是如此谦卑地乞求！”

普里阿摩斯战战兢兢地听从了。阿喀琉斯像一头狮子那样跃出门外，他的战士跟在他的后面。在帐篷前他们从轭中卸下马匹并把使者带了进来。随后他们从车上搬下礼品并留下两件斗篷和一件衣服，用来包裹赫克托耳的尸体。阿喀琉斯让人洗净死者，涂上香膏并穿上衣服；他本人把尸体抬到一张铺放好了的床上，在他的朋友们把死者安放到骡车上期间，他呼叫着他朋友的名字并说道：“帕特洛克罗斯，如果你在阴间知道我把赫克托耳的尸体交还给他的父亲，请不要发火，生我的气！他带来了价值不菲的赎金，其中也有你的一部分！”

现在他返回帐篷，重新坐在国王的对面并说：“你看到了，现在你的儿子被赎回了，哦，老人，这正如你所希望的那样。他躺在那里，穿上了受人尊敬的服装。明天清晨你就可以把他运回去。但现在让我们吃顿晚餐，你还有足够的时间来为你亲爱的儿子哭泣。”

英雄立起身来，走到外边，宰杀了一只羊。他的朋友们把皮剥掉，把肉切成块，用铁钎仔细地串起并递了上来。随后他们坐到桌旁，奥托墨冬分配装在一个精致小篮子里的面包，阿喀琉斯分配肉，大家饱餐豪饮。普里阿摩斯惊奇地观察高贵主人的身材和仪表，他完全像一位神祇。饭后，普里阿摩斯说：“高贵的英雄，请为我准备床铺，我渴望睡一个好觉，因为自从我儿子赫克托耳死后，我的双眼就一直没有阖上，而且这也是我第一次吃肉喝汤。”

阿喀琉斯立刻命令他的士兵和侍女，在厅内为老人安排一张床榻，铺上紫色的床垫，上面覆有毯子、柔软的斗篷作为衾被，使者也另备一张床。这时阿喀琉斯友好地说：“普里阿摩斯，你还要告诉我，为你儿子的葬礼，你需要多少天，这样我就休息多长时间，我的士兵也停止进攻。”——“如果你允许我为我的儿子举行一个葬礼的话，”普里阿摩斯回答说，“那就给我十一天的时间吧。你知道，我们被围困在城市里，而且必须到远处的山里去运木材。这样我们就需要九天的时间才能做好准备，在第十天我们安葬他并举行殡宴，在第十一天为他建造一座坟墓。在第十二天，如果无法避免的话，那我们就重新开战。”——“就像你所希望的这样好了，”阿喀琉斯回答说，“在你所要求的时间里，我不会让我的军队进攻。”说完这话他就离开了老人，在自己的帐篷里躺下入睡。

大家都睡了，只有赫耳墨斯醒着，他在思考，如何避开卫兵，把特洛伊国王从舰船这儿带回去。因此他走近熟睡的老人跟前，对他说：“老人，你在敌人身边睡得太坦然安心了。你用了许多金钱赎回了儿子的尸体，这是真的，但若是让阿伽门农和其他希腊人知道了，那你的儿子们就得用三倍的赎金来赎买你这个活人!”老人为之一惊，他唤醒使者。赫耳墨斯套好马匹和骡子，跃上车坐在国王身边。伊代俄斯牵着运载尸体的骡车。他们悄悄穿越军队，不久就离开了希腊军营。

赫克托耳的尸体在特洛伊城

赫耳墨斯一直陪国王来到斯卡曼德洛斯河的浅滩。在那儿他跃下车，返回奥林匹斯山。普里阿摩斯和使者悲伤地驱赶着马车和载着尸体的骡车进入城里。正是黎明时分，万物还在沉睡之中，没有人看到他们的到来。只有卡珊德拉一个人登上城堡，她从远处看到了父亲。于是她大声地恸哭并呼喊起来，她的声音在寂静的城市上空发出回响：“看呀，特洛伊的男人和女人，赫克托耳回来了，可回来的是一个已经死了的赫克托耳！每当他从战场得胜回来时，你们都向活着的赫克托耳欢呼，现在你们也要欢迎死去的赫克托耳!”随着她的呼喊，没有一个男人和女人留在家里，悲哀使所有人都肝肠寸断，他们在城门旁围住骡车大声恸哭。

不久后，尸体被运到国王的宫殿里，人们开始准备殡葬。他们很快套好牛车和骡车，集中在城前，并用九天的时间运送木材。第十天清晨，在一片号啕大哭声中，赫克托耳的尸体被取了下来，放到高高的木架上面。木架被点燃了，所有人都聚集在熊熊燃烧的木材四周。当木架烧倒时，他们用酒把火灰浇灭；赫克托耳的兄弟和战友含着泪水从灰烬中拾取他的白骨，收集在一起，用柔软的紫色布料包了起来，放进一个金盒子里，葬入墓穴。随后他们堆成一个坟丘，四周都布置好警戒，以防希腊人进行突袭。当坟墓已经用土堆成之后，所有人都返回城里，聚集在普里阿摩斯的王宫里，举行隆重的殡宴。

彭忒西勒亚

在赫克托耳的葬礼之后，特洛伊人又都聚在城墙的后面，因为他们对无畏的阿喀琉斯的力量十分恐惧，害怕他的靠近。笼罩整个城市的是对失去最高贵的英雄和强大的保护者的哀悼和悲恸，痛苦是如此之巨大，就像特洛伊已被占领者的大火吞噬了一样。

在这担惊受怕的日子里，被围困者得到了意想不到的援助。从忒耳墨冬河那边，阿玛宗女王彭忒西勒亚带来一小队女英雄来到这里支援特洛伊人，她是战神阿瑞斯的女儿。促使她采取这个行动的原因，一方面是她对男人间危险战争的兴趣，这是这一族女人的天性；另一方面是一桩无意中犯下的血债，这成为她心灵上的重负并且她因此在自己的国家里被看作是祸害。那是在一次狩猎中间，当她向一只鹿掷去投枪时，却击中了她自己的姊妹希波吕忒。于是复仇三女神无处不在地追逐着她，而她对她们的任何祭祀都无法使她得到宽恕。她希望最好是通过一场众神喜欢的战争来解除这种痛苦，于是她挑选出十二个女伴前来特洛伊，这些女人都像她一样渴求加入男人间的战斗。可与彭忒西勒亚相比，这些少女虽然美丽非凡，却只能说像是她的女奴。犹如天空繁星中的皎月闪烁出无比的光华一样，这位女王的美貌远远超过她的那些女伴。

当特洛伊人从城上看到披戴青铜盔甲的绰约而威武的女王率领她的少女奔来时，他们从四面八方惊羡地拥了过来。当这一小队女人走近时，他们对女王的艳丽目瞪口呆，惊叹不止。她的表情把威严可怖与妩媚奇妙地融为一体：嘴唇上浮现出一种甜蜜的微笑，长长的睫毛下她那双鲜灵的眸子像阳光一样闪闪发亮。她的双颊泛出一层庄重的红晕，整个面庞显示出一种少女的娴雅和战斗的热情。此前特洛伊人是那样的悲哀，而在目睹这一景象后却是如此兴高采烈，就连国王普里阿摩斯的悲痛的心也重新变得愉快一些了（运用侧面烘托的手法，通过写特洛伊人心情的转变，表现出女王彭忒西勒亚的魅力）。但他的喜悦因想起了许多死去的出色、英俊的儿子而被冲淡。

国王普里阿摩斯把女王领入他的宫殿，把她看作是自己的女儿并盛情地款待她。他送上了为她挑选出来的珍贵礼品，并答应她，一旦她能顺利地解除特洛伊的危险，就送给她更多的馈赠。可阿玛宗女王从她坐的高贵椅子上站了起来，立下任何一个凡人都不会想到的誓言：她向国王保证杀死神一样的阿喀琉斯，她要消灭所有希腊人，火烧敌人的所有舰船！

这时天已黑了，在女英雄们已从征途的疲劳中恢复过来并饱餐畅饮之后，王宫的女仆为女王和她的女伴准备了舒适的床榻，彭忒西勒亚不久就进入梦乡。这时遵照雅典娜的命令，一幅催命的图像出现在她的梦中：她自己的父亲战神阿瑞斯出现了，敦促她赶快与阿喀琉斯进行决战。当这位少女瞥见这个乔装的面孔时，她的心在胸中跳个不停，她希望就在今天去完成这项伟大的事业。她一醒来就立即从床上跳下，披上阿瑞斯送给她的熠熠发光的肩甲，束上黄金的胫甲，围上耀眼的胸甲，系上剑带，那上面挂着一把装在由象牙和白银制成的剑鞘里的利剑。随后她拿起锃亮的盾牌，戴上头盔，上面的金黄色羽饰在不停摇曳。她左手执两支投枪，右手擎一柄双刃战斧。这是从前纷争女神送给她的武器。当她这样全副武装地从王宫中冲出来时，她就像宙斯从掌中由奥林匹斯山上抛出的一道电光一样。

她欢叫着从城墙冲出来，激励特洛伊人进行光荣的斗争。此前不敢面对阿喀琉斯的人们响应她的召唤，立即聚集起来。彭忒西勒亚跃上一匹骏马，它跑起来像旋风女神一样飞快。她冲向战场，她的所有女伴同样骑在马上尾随而来。整个特洛伊军队都拥在她们周围。留在王宫的国王普里阿摩斯向上高举起双手，对宙斯进行祈祷："听我说，哦，宙斯父亲，让希腊士兵今天就在阿瑞斯女儿面前毁灭吧，但要让她本人平安地返回我的宫殿。为了你强大的儿子阿瑞斯的荣誉，为了他那出身于一个神祇并且本人也像不朽的神祇一样的女儿，保佑她吧；也为了我，我遭受如此多的不幸，那么多英俊的儿子死于希腊人之手，请保佑我吧！保佑古老的城市特洛伊不被毁灭吧！"他的祷告刚一结束，一只尖叫的雄鹰就从左上方朝他飞了过来，它的爪中抓着一只被撕碎的鸽子。这恶兆使国王心惊肉跳，胸中的希望全都破灭。

这期间希腊人在他们的船营里看到特洛伊人冲了过来，他们像群从山上冲向羊群的狂暴野兽一样。几天来希腊人已经习惯于特洛伊人的怯懦了，今天的这番景象令他们震惊，他们急忙拿起武器，兴奋地冲出船营。

血腥的战斗很快就展开了。长矛相刺，胸甲相撞，盾牌相击，头盔相碰，特洛伊大地又被鲜血染红。彭忒西勒亚在希腊英雄中横冲直撞，她的那些女战士奋勇争先。她本人杀死了摩利翁和另外七个英雄。但当阿玛宗的克罗尼亚砍倒波达耳刻斯的朋友墨尼波斯时，强大的波达耳刻斯愤怒至极，他一枪就刺中她的臀部。彭忒西勒亚急忙用剑去砍他擎枪的手，但已来不及了；她的女战士倒地而死，波达耳刻斯救出了被抢走的朋友墨尼波斯。

现在幸运转向了希腊人这一边。伊多墨纽斯用长枪刺中阿玛宗人布瑞穆萨的右胸，墨里俄涅斯杀死了欧安德拉和忒耳摩多亚，俄琉斯的儿子小埃阿斯把狄里俄涅毙于手下。堤丢斯的儿子狄俄墨得斯剑劈阿耳喀比亚和得里玛喀亚，把她俩的头颅从肩膀上砍掉。随后战斗转向特洛伊人。斯忒涅罗斯杀死了来自色斯托斯的卡比洛斯，帕里斯朝他射出了一箭，可落空了，箭飞了过去，被坚固的盾牌转移了方向，击中了另一个希腊英雄杜利喀翁人欧厄诺耳，使他倒地死去。他的遭遇激怒了杜利喀翁人的领袖墨革斯。墨革斯像一头狮子般迅猛地扑了过来，使特洛伊人惊慌地逃走。他杀死了特洛伊人的盟友和一些他的长矛所及的特洛伊人。一场可怖的喋血鏖战杀得天昏地暗，在这一天双方都有许多人战死战场。

彭忒西勒亚还一直在希腊人中间往来驰骋，她所向披靡，在她面前人群纷纷后退。这个胜利者扬扬得意，朝希腊人喊道："你们这群狗，今天我就要你们为加于普里阿摩斯国王的耻辱付出代价。野兽和飞鸟来撕扯吞食你们腐烂的尸体，没有一个人能回到家里见你们的女人和孩子，你们死无葬身之地！狄俄墨得斯在哪儿？忒拉蒙的儿子大埃阿斯在哪儿？阿喀琉斯在哪儿？这都是你们军队中最勇敢的人，他们都在哪儿？为什么他们不来和我进行较量？"她叫喊着并轻蔑地冲进希腊人中去。她时而挥动战斧，时而掷出投枪。普里阿摩斯的一些儿子和特洛伊的最勇敢的人紧跟在她的后面。希腊人无法阻挡这种冲击，他们像风卷落叶般地相继倒下。不久战场上希腊人尸横遍野，特洛伊人的战车像碾谷一样践踏倒下去的人和死者。

但这场战斗的喊叫声既没有传到强大的大埃阿斯那里，也没有被神祇之子阿喀琉斯听到。两人都在远处帕特洛克罗斯的墓旁，他们在思念他们死去的朋友。命运已经做了安排，使阿玛宗女王还有一两个小时的幸运，并要她带着光荣死去。

特洛伊的女人都站在城墙上，她们为这个姊妹的战绩惊羡不已。勇敢的特洛伊人提西福诺斯的妻子希波达弥亚突然为加入战斗的渴望所攫住。她说："姊妹们，我们为什么不去战斗？像我们的丈夫一样，为祖国，为我们和我们的孩子去战斗？我们不要落在特洛伊青年男子的后面。我们也像他们一样有力量，我们的眼睛与他们的同样敏锐，我们的双膝与他们的同样坚定，阳光、空气和食物像属于他们一样地属于我们，为什么我们不能像他们一样作战？难道你们没有看到那儿的那个女人是远远地强于所有的男人吗？可她还不是一个特洛伊人呀！她在为一个异国的国王，为一座并不是她的故乡的城市而战，她毫不在乎那些男人，勇往直前，狠狠打击敌人。而我们若是投入战场，那是为了我们自己的幸福去战斗，是为了我们自己的苦难去复仇。在我们之中，有哪一个在这场不幸的战争中没有失去一个孩子或者一个丈夫，抑或是一个父亲？有哪一个没有为兄弟或者近亲哀悼过？如果我们的男人被打败了，那除了去做奴隶，在我们面前还有更好的出路吗？为此我们要毫不迟疑地参加战斗。如果我们的丈夫战死，我们的城市变成一片火海的话，比起让我们和我们的孩子被掠去当作敌人的战利品，我们宁愿去战死！"

希波达弥亚的这番话激起了女人们的战斗欲望。她们放下了手中的毛线和织物，像一窝蜜蜂似的跑回家中，拿起武器。如果不是王后赫卡柏的妹妹，安忒诺耳的妻子忒阿诺反对她们的草率之举并用明智的言辞说服她们的话，那她们全都会成为她们鲁莽行为的牺牲品。

在此期间彭忒西勒亚继续大开杀戒。希腊士兵在她面前心惊胆战，英雄们落荒而逃，垂死者哀叫不已。阿玛宗女王的长矛所到之处，人们纷纷栽倒。

特洛伊人越来越大步进逼，他们已经抵达离希腊人舰船非常近的地方并已开始焚烧某些设备。这时忒拉蒙的儿子，强大的大埃阿斯终于听到了战斗的喊叫声。他从帕特洛克罗斯坟丘旁抬起头来，对阿喀琉斯说道：“兄弟，我耳边传来了不断的厮杀声，好像什么地方发生了一场危险的战斗！让我们去看看，别让特洛伊人逼近我们，烧了我们的舰船！”这句话提醒了阿喀琉斯，他现在也听到了哀号声。两人急忙披上熠熠发亮的铠甲，武器在闪光，战斗的热情在燃烧，他们向着人声鼎沸的地方走去。

他们怀着火热的激情投入战斗。大埃阿斯冲向敌人，他的长枪很快就杀死了四个特洛伊人。阿喀琉斯却转向阿玛宗人，用他的宝剑杀死了四个少女。随后两人一同冲进敌人的军队中，没用多大力气就把刚才还聚集在一起的敌人杀得七零八落。

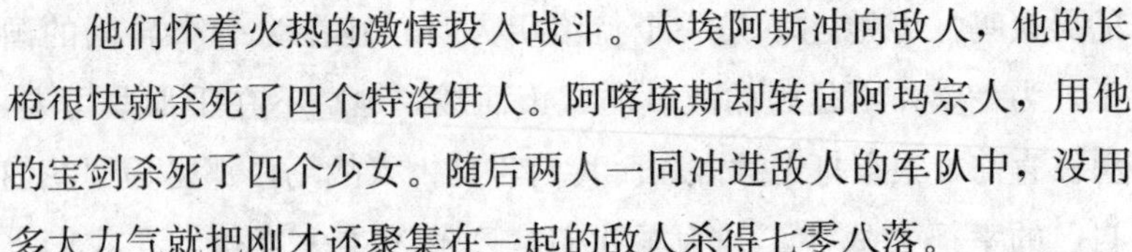

彭忒西勒亚一看到这种场面，就暴怒地冲了过来，像是一头豹子奔向猎手一样。但他俩却挺起身来，擎起了他们的长枪，他们的青铜铠甲叮当作响。这个阿玛宗女人首先把她的投枪掷向阿喀琉斯。英雄的盾牌挡住了它并使它裂为碎片。现在她把第二支投枪掷向大埃阿斯并同时向两位英雄喊道：“虽然我的第一支投枪没有成功，但这第二支会结束你们这两个牛皮大王的性命，你们再也无法自吹是希腊人中最强大的人了。现在我要让你们知道，一个女人远比你们两个加在一起还要强大！”她的长枪击中大埃阿斯的银制铠甲，可却无法刺伤皮肤，因为它从金属制的护腿上弹落了下来。现在大埃阿斯冲向特洛伊人，而把这个女敌人留给阿喀琉斯。

当彭忒西勒亚看到她的第二支投枪也失败了时，她大声地叹了一口气。但阿喀琉斯却在用目光打量她并朝她喊道：“告诉我，女人，你怎么如此狂妄，胆敢来向我们世上最强大的英雄进行较量？我们是宙斯的后代，赫克托耳见了我们都心惊胆战并且被打倒在地。当你今天用死亡来威胁我们时，你必定是疯了；看吧，你最后的时辰已经到了。”说着他就朝她逼近，挥动无坚不摧的长矛。它深深地击中彭忒西勒亚的右胸上部，鲜血很快从伤口喷涌而出，她的四肢变得无力，战斧从手中滑落，她的眼前变得一片漆黑。可她还是又一次站了起来，紧盯着正向她冲来的敌人的面孔，他要把她从奔逃的战马上拖下来。她快速思考了一下，是从剑鞘中拔出宝剑进行抵抗，还是向胜利者乞求活命。但阿喀琉斯不容许她有时间进行考虑。他被她的傲慢激怒，一枪就连人带马地刺个透亮，彭忒西勒亚倒在地上死去。

当特洛伊人看到他们的女英雄死去时，就慌乱地向城门奔去，为阿玛宗女王和他们的许多亲人之死哀伤不已。但阿喀琉斯却欢快地叫道：“你这可怜虫，躺在那儿好了，去喂秃鹰和野狗吧！是谁要你来同我作战？你是希望从普里阿摩斯国王手里得到大量的财宝来作为杀死那么多希腊人的奖赏吧？可你得到的是另外一种报酬！”他说着就把长枪从她身上和马身上拔了出来。随后他摘下她头上的战盔，打量死者的面孔；虽然被血渍和泥土玷污，但她的表情就算在死后也依然雍容高贵，围在尸体四周的希腊人都不能不为这少女的超凡美丽而赞叹不已。阿喀琉斯长时间望着她，一阵痛苦袭上心头。他必须承认，他真不该把她杀死，而应当把她带回佛提亚做他出色的妻子。

阿特柔斯的儿子阿伽门农和墨涅拉俄斯对死去的阿玛宗女王充满同情和敬仰，他们允许把她的尸体交还给普里阿摩斯国王。普里阿摩斯在城前为她搭起了一个巨大的火葬架，把女王的尸体连同许多珍贵的礼品一起放到上面。随之他点燃了木头，烈火熊熊烧了起来；当尸体已被烧成灰烬时，环立在四周的特洛伊人用甜酒熄灭了火焰。然后他们把彭忒西勒亚的遗骸集中在一起，放进一个小匣子里，他们号啕大哭，并列队隆重地把骨灰匣送到位于巍然耸立在高高的塔楼旁拉俄墨冬国王的墓穴中。与她葬在一起的还有她的十二个在与男人的战斗中死去的同伴，因为阿特柔斯的两个儿子也使她们享得这份光荣。在另一方，希腊人也埋葬了他们的死者，他们特别为死去的波达耳刻斯感到悲痛，他是被赫克托耳杀死的普洛忒西拉俄斯的兄弟。随后他们返回船营，大家从心里感谢阿喀琉斯，这位伟大的英雄这一次又成了希腊人的拯救者。

门　农

升起的太阳照耀着特洛伊这座灾难深重的城市。特洛伊人警觉地坐在城墙上，他们害怕强大的胜利者随时会用云梯登上城墙，把他们古老的家园变为灰烬。这时一个名叫堤摩忒斯的老人站了起来说道："朋友们！我想不出有什么办法能使我们摆脱毁灭。自从赫克托耳死于战无不胜的阿喀琉斯之手以后，即使是一个神祇，如果来救助我们也会在战斗中死去的。阿喀琉斯不是把所有希腊人都畏之为虎的阿玛宗女王杀死了吗？她是那样令人敬畏，都使我们大家相信她是一位女神，一看到她的面容我们就由衷地感到欢欣。可让人惋惜的是她是一个凡人，也会死去！这样我们就得考虑一下，如果我们离开这座注定要灭亡的城市而去寻找一个更安全些的住处，使残暴的希腊人无法靠近我们，这样做是不是对我们更好？"

于是普里阿摩斯在会议中站了起来，对他说："亲爱的朋友，所有的盟友们！让我们不要怯懦地放弃我们亲爱的城市。如果我们想在公开的战斗中突破包围我们的敌人的话，那我们得冒更大的危险。我们最好是等待，埃塞俄比亚人门农已同他的军队在路上了，他是来救助我们的！我向他派出使节已有很长时间了。因此再等一段时间。即使你们都在战斗中死去，也胜似在异乡屈辱地生活下去！”

这时英雄波吕达玛斯站出来表达他的意见：“如果门农真的来了，那我没有什么可反对的！但是我怕这个人连同他的伙伴都会在我们这里死去，给我们带来的只是更多的灾难。可我也绝不同意我们应当离开我们的国家。最好的办法依然是，我们把海伦连同她从斯巴达带给我们的一切，在敌人掠夺走我们的财富和焚烧我们的城市之前，都重新交还给希腊人！”

特洛伊人在心里都同意这番话，可他们不敢公然地去反对他们的国王。在另一方，海伦的丈夫帕里斯站了起来，他指责波吕达玛斯最为怯懦。“一个提出这样建议的人在战场上必定是第一个逃跑的人。特洛伊人，你们想一想，赞成这样的建议是不是明智。”

波吕达玛斯知道得很清楚，帕里斯宁愿在军队中激起一场兵变，甚至宁愿去死，也不会放弃海伦。为此他一声不响，整个会议与他一样陷入沉默。会议还在进行讨论期间，这时传来了好消息，门农已经到了。特洛伊人一片欢腾；但尤为高兴的是普里阿摩斯国王，因为他毫不怀疑，人多势众的埃塞俄比亚人一定会烧毁敌人的舰船。

因此当晨光女神厄俄斯的儿子门农到达的时候，国王和王室的人给了他丰厚的礼品并设盛宴对他进行款待。宾主之间的交谈越来越欢洽。他们共同悼念死去的特洛伊英雄。门农讲述了他的双亲——厄俄斯女神和提托诺斯，讲述了无边的海洋和大地的尽头，讲述了太阳的升起和他走过的遥远之路——从大洋的海岸直到伊得山的顶峰和普里阿摩斯国王的这座城市。

特洛伊国王高兴地谛听他讲述的一切。特洛伊国王热情地握住他的手说道："门农，我感谢众神，他们使我这个老人有幸见到你和你的军队，并在我的宫殿里款待你本人。真的，你超凡出众，更像是神祇，因此我坚信你会大开杀戒，消灭敌人！"在说这番话的同时，国王举起一只纯金酒杯，与这位新的同盟者一饮而尽。门农惊奇地观察这只精致的金杯，这是赫淮斯托斯的一个杰作并成为特洛伊王室的传家之宝。随后他回答说："在欢宴的场合里不适于去说大话和做出保证。因此我不能对你做出许诺，哦，国王，我现在静静地去品尝精美的菜肴并为必要的事情做好准备。一个人是不是英雄，必须在战场上表现出来。可现在我们很快要去休息，因为过度享受美酒和一个狂欢之夜对一个期待着决定性战斗的人是有害的！"说毕冷静的门农站了起来，普里阿摩斯并不勉强他的客人再留一些时候。其他的客人也告辞了，于是所有的人都各自安寝入睡。

就在世上凡人沉入梦乡期间，众神还依然聚集在宙斯的奥林匹斯宫殿里并讨论特洛伊的战事。对未来像对当前发生的一切同样十分清楚的宙斯最后说话了："你们无论怎样关心希腊人或者特洛伊人，那都是没有用处的。你们还会看到双方有无数的人马在战斗中毙命。无论你们心里是怎样地同情某些人，都不要向我求情，因为命运女神是冷酷的，对我和对你们都是一样的！"

没有一个神祇敢于去反驳众神之父。他们沉默地离开宴会，每一个神祇都悲哀地倒在床上，直到睡眠之神怜悯地把他们带入梦乡。

翌日只有黎明女神厄俄斯勉强地升上天际，因为她也听到了宙斯所说的话，她的心在向她预示，等待她儿子门农的是一种什么样的命运。门农却很早就醒来了，他几乎迫不及待地要去为他的朋友进行决定性的战斗。特洛伊人也身披铠甲，与来自埃塞俄比亚的客人一道迅急地冲出城门，直杀向战场。路上人群密集，脚下尘土飞扬。

当希腊人从远处看到他们蜂拥而来时，都感到惊讶，于是迅速地拿起武器，奔了出来。阿喀琉斯在他们中央，他骄傲地坐在战车上，像是一个提坦神，如同宙斯手中的雷电一样。但特洛伊人队伍同样是威武雄壮，无数的士兵都聚集在门农的周围，听从他的命令，充满了战斗的激情。于是战斗开始了：两支军队像两个大海一样迎头相撞，像咆哮的海浪彼此翻卷在一起。剑声铿然，长矛呼啸，战斗的厮杀声震天动地，不久两支队伍中倒下的人就发出尖厉的哀号。在阿喀琉斯的枪下一个特洛伊人接着一个特洛伊人地倒了下去。可门农也像一个可怕的灾星那样在希腊士兵中大开杀戒，给他们带来了哀叫和死亡。涅斯托耳的两个高贵的伙伴死在他的手下，现在他逼近这个来自皮罗斯的老者，看来涅斯托耳必会死于这个埃塞俄比亚人的长枪之下，因为他的战车的一匹马刚好被帕里斯一箭射伤。当门农捡起枪向他奔来时，他的战车已无法行驶。涅斯托耳惊恐地喊他的儿子安提罗科斯前来救命；他的叫喊声传了过去，救父心切的儿子火速地飞奔过来，挡在父亲的胸前，把他的投枪掷向门农。门农躲开了，投枪却击中了他的朋友，皮拉索斯的儿子厄托普斯。于是门农向他掷去一块石头，可碰在他的头盔上弹落下来。现在门农用长枪刺穿了他的心脏，安提罗科斯用自己的死亡挽救了父亲的性命。

希腊人看见他倒地死去时，都感到极为悲痛。感到痛不欲生的是做父亲的涅斯托耳，因为正是为了他，儿子才在他眼前死

去。但他保持足够的冷静，把他的另一个儿子特拉绪墨得斯喊来，好来保护他兄弟的尸体。在战斗的厮杀声中特拉绪墨得斯听到了召唤，他同斐柔斯一道赶来与厄俄斯的发疯似的儿子进行战斗。门农笃定地让他俩靠近自己，他们的投枪都从他的铠甲旁掠过，因为他的神祇母亲给他的铠甲施加了保护的咒语。这些投枪击中的都不是要击中的目标。

这期间门农准备去剥取被杀死的安提罗科斯的铠甲，希腊人都毫无作为地围在他的四周，就像一群号叫的野狼观望着一头被狮子撕食的牝鹿一样。当涅斯托耳看到了这种情形时，他大声地哀号起来，呼喊他的其他朋友，而他自己也跳下战车，要用衰弱的力气为保护儿子的尸体而战。可当门农看到他奔来时，却主动地避开他，就如同看到自己的父亲一样，充满了敬畏之情。“老人，”门农说道，“我不适合与你交手！从远处看我把你当作是一个年轻的战士，因此才向你掷出了投枪；但现在我看到你太老了。离开战斗，避开我，我不忍心把你杀死，让你同你的儿子死在一起！如果你敢在这样一场力量悬殊的斗争中进行冒险，那人们一定会骂你是一个傻瓜！”但涅斯托耳回答说：“你说得不对，门农！一个人为他儿子的死而悲愤并起来战斗，而且要把残暴的凶手从他儿子的尸体旁赶走，没有人会说他是傻瓜！瞧，你把我错当成一个年轻人了！现在的我像是一头衰老的狮子，连守护羊群的家狗都敢跟它较量！但是我还能战胜许多人，我的年纪使我避开的人只有少数几个！”随后他退了回去，让他的儿子躺在地上。门农与他的埃塞俄比亚人在战场上继续冲杀，所向披靡。

涅斯托耳转身走向阿喀琉斯。“希腊人的保护者，”他说，“你看，我死去的儿子躺在那里，门农已夺走了他的武器，他很快就要被野狗吞食！快去救助他，因为只有去保护死去的朋友的人才是一个真正的朋友！”阿喀琉斯注意倾听，当他看到这个埃塞俄比亚人如何把希腊人一群一群地斩杀时，他痛苦得无法自持。现在他果断地冲向门农。当门农一看到他奔来时，就从地上抓起一块巨石，把它掷向敌人的盾牌。但石块被弹落了，而阿喀琉斯把战车留在后面，自己徒步逼向门农，并用长枪刺中了他的右肩。这个埃塞俄比亚人毫不在意这一击，而是疾步冲了上来，并用他有力的长矛刺中了阿喀琉斯的胳膊，使英雄血流如注。这时门农扬扬得意，高兴地大叫起来：“可怜虫，你那么无情地屠杀特洛伊人，现在你面对的是一个你无法战胜的神之子，因为我的母亲厄俄斯是奥林匹斯山的一个女神，要比你的只喜欢与海怪为伍的母亲忒提斯高贵得多！”但阿喀琉斯只是微笑着说道：“最后的结局会说明，我们中谁出身于更高贵的父母！现在我要为年轻的英雄安提罗科斯向你报仇，就像我曾为我的朋友帕特洛克罗斯向赫克托耳报仇一样。”

接着他用双手握起他那支巨大的长矛，向门农刺去。他们厮杀在一起。宙斯在这一时刻使他们变得比普通人更强大更有力，并且精神更加旺盛，他们都刺不中对方，他们彼此逼近对手，连头盔上的羽饰都碰在一起。他们力图时而在铠甲上方，时而在盾牌下面把敌人刺伤，但都没有成功；他们的铠甲叮当作响。埃塞俄比亚人、特洛伊人和希腊人的厮杀声直冲云霄，尘土在他们脚下飞扬，在英雄们相互厮杀期间，士兵们之间的战斗却停了下来。

从圣山高处俯视下界的奥林匹斯众神对这场不分高下的战斗感到十分高兴，他们有的是为阿喀琉斯的强大，另一些则是为门农的勇敢。若不是宙斯招来两个命运女神并命令她们，把黑暗降于门农，把光明照向阿喀琉斯，那很快就会在众神之间爆发一场争吵。奥林匹斯山上的众神一听到这个命令就大声叫了起来，有的是由于喜悦，有的是因为悲痛。

但两位英雄依然在继续厮杀，毫不顾及命运女神的光顾。他们时而用长枪，时而用宝剑，时而用石头进行攻击，没有一个退缩，都像崖石一样坚定。在他俩左右的伙伴也同样杀得难解难分。但命运女神终于胜利了。阿喀琉斯把长枪刺入对手的前胸直透过后背，门农沉重地栽倒在战场上。

现在特洛伊人开始逃跑了，紧追不舍的阿喀琉斯像一股飓风似的尾随而来，他把门农的尸体交给他的朋友去剥下铠甲。厄俄斯在天上长叹一声，把自己裹在浓云之中，使大地变得一片黑暗。她的孩子们——各种各样的风，遵照她的吩咐，飞下平原，卷起门农的尸体，并将其从敌人的手中夺走。当他被风裹住升向空中时，除了流淌下的滴滴鲜血之外，他没有任何东西留在世上。那些不愿与死去的国王分离开来的埃塞俄比亚人紧跟在后面大声哭喊，直到国王的尸体从惊愕的特洛伊人和希腊人的眼中消逝才停了下来。风把门农的尸体放置到埃塞波斯河的河岸旁，河神的女儿们，一群妩媚的姑娘为他在一片幽美的丛林中建立起一座坟墓。从天而降的厄俄斯与另外一些仙女一起，含着热泪把她的儿子安葬在这里。返回城里的特洛伊人也为门农之死悲恸万分，甚至希腊人也毫无纯粹的喜悦可言。他们虽然赞颂军队的骄傲——胜利者阿喀琉斯，但他们同涅斯托耳一道，也为他可爱的儿子安提罗科斯而哭泣。这样，悲痛和欢乐使他们在战地上彻夜不眠。

阿喀琉斯之死

翌日安提罗科斯的尸体在一片悲哀声中由他的同胞抬到舰船，安葬在赫勒斯蓬托斯的海岸。但白发苍苍的涅斯托耳十分镇定，他控制住自己的悲痛，阿喀琉斯却难以平静下来。朋友的死激怒了他，驱使他天一破晓就扑向特洛伊人，他们尽管对神一般的阿喀琉斯的长枪十分惊恐，但依然奋不顾身地打开城门投入战斗。他们很快就又杀得天昏地暗。英雄杀死了大量的敌人，直把特洛伊人追到城下。他的超人力量使他相信他能把城门从门轴中抬起来，为希腊人开辟进入普里阿摩斯城市的道路。

福玻斯·阿波罗从奥林匹斯山上看到了被阿喀琉斯杀死的无数士兵，他愤怒至极。他像一头发疯的野兽，从神座上冲了下来，背上装有致人死命的箭镞的箭袋。箭袋和箭镞叮当作响，他的眼睛在冒火，他的步伐使大地震颤。随后他站在阿喀琉斯的身后，发出可怕的声音："放开特洛伊人，珀琉斯的儿子，不要如此疯狂！你要当心，不要让一个神祇把你毁灭！"阿喀琉斯听出了这个神祇的声音，但他并不惧怕，毫不在乎这种警告，他大声朝他喊道："难道你偏要激怒我去与神进行战斗？你为什么总是去偏袒那些特洛伊的坏蛋？当你第一次让赫克托耳在我面前逃脱时，你就已经使我够恼火的了。我劝你远远离开，到众神那儿去，别让我的长枪击中你，哪怕你是一个不死的神祇！"

说罢这番话他就转身而去，重又追向敌人。愤怒的阿波罗隐身在一片黑云之中，弯弓搭箭，从浓雾中一箭射中阿喀琉斯易受伤害的脚踵。一阵剧痛直从脚跟涌上心头，他像一座毁了根基的高塔一样栽倒在地。他躺在那里环视四周，用尖厉可怖的声音喊道："是谁从远处朝我射出卑鄙的一箭？有胆量的话就跟我面对面地进行较量！胆小鬼总是从暗处偷袭勇士！好好听着，即使他是一个对我恼火的神祇！我想出来了，这是阿波罗干的。我的母亲忒提斯曾对我说过，我会在斯开亚城门前死于阿波罗的神箭之下，她说的话应验了！"

英雄呻吟不止，他从致命的伤口上拔出了箭镞。当他看到黑血不断涌出时，他愤恨地把它抛得远远的。阿波罗把箭镞拾了起来，隐身在浓云中返回奥林匹斯。他从迷雾中现身并重新混在众神之间。希腊人的朋友赫拉发现了他，极为愠怒地责备他说："福玻斯，你干了一件坏事！你毕竟参加过珀琉斯的婚礼，像其他神祇一样，享受美酒佳肴并高声吟唱，为珀琉斯的后代祝福。可你却袒护特洛伊人，并最后杀死了珀琉斯唯一的儿子！你这样做是出于嫉妒。你这愚蠢的家伙，今后你有何脸面去见涅柔斯的女儿？"

阿波罗一声不响，离开众神坐到一旁，垂下头去。深色的血液还依然在阿喀琉斯强壮的四肢中沸腾，渴求着战斗，没有一个特洛伊人敢于靠近这个受伤的人。他从地上一跃而起，再一次站了起来，挥舞起长矛，冲到敌人中间，击中了他的老对手赫克托耳的朋友俄律塔翁，矛尖直刺入他的大脑。随后他的矛又刺中了希波诺斯的眼睛，穿透了阿尔卡托俄斯的面颊，还杀死了许多逃跑的人。但随后他的四肢变冷了，他不得不停下来，拄枪而立。特洛伊人在他的面前，慑于他的声音而纷纷逃命，他的雷鸣般的吼声在那些逃跑者的身后响起："逃命吧！就是在我死后，你们也逃不开我的长矛，我的复仇之神将惩罚你们！"他们惊慌失措，抱头鼠窜，因为他们还认为他没有受伤。但他的四肢变僵了，栽倒在一群死者之中，大地发出轰鸣，他的铠甲铿锵作响。

帕里斯首先发现了他的死。他大声欢呼，提醒特洛伊人去抢尸体，于是一大群避恐不及的士兵集聚到死者四周。但英雄大埃阿斯守护住尸体，把那些靠近的敌人用长矛挑得远远的，每当有一个人来同他战斗时，就必定受到他致命的一击。到最后，大埃阿斯已不限于去保护尸体了，而是冲向特洛伊人，在他们中间大开杀戒。吕喀亚人格劳科斯也倒了下来，死于强大的大埃阿斯的长矛之下；高贵的特洛伊英雄埃涅阿斯也受了伤。与大埃阿斯一同作战的有奥德修斯和其他的希腊人，但特洛伊人的抵抗越来越顽强。奥德修斯感到右膝受了重伤，鲜血已从闪亮的铠甲下不断涌出；帕里斯这时竟敢突然用长枪刺向大埃阿斯。但大埃阿斯一发现就抬起一块巨石，掷向他，击中了他的头盔，使他躺倒在地，箭镞从箭袋中撒得遍地都是。他呼吸微弱，气息奄奄，朋友们仅来得及把他抬到战车上，用赫克托耳的战马把他拉回城里。大埃阿斯把特洛伊人都赶回城里，这时他跨过横陈遍地的尸体、血泊和散落的铠甲，直向赫勒斯蓬托斯奔去。

在这期间，诸王把阿喀琉斯的尸体从战场上抬到舰船上，围在他的四周，陷入无尽的悲痛之中。奔跑而来的大埃阿斯号啕大哭，他为失去一个忠实的表兄弟而悲恸。年迈的福尼克斯紧紧抱住魁梧的阿喀琉斯的高大身躯，老泪纵横，伤心至极。他想起了阿喀琉斯的父亲珀琉斯把孩子放到他怀里，让他抚养和教育的那一天，可现在父亲和教育者都活着，而孩子却死了！阿伽门农和墨涅拉俄斯兄弟及所有希腊人也都为他哭泣。哭声不绝，直冲上天际，并从舰船那儿发出回响。

白发苍苍的涅斯托耳最终使悲泣停了下来，他提醒他们，把英雄的尸体洗净，放到灵床上，然后进行礼葬。于是人们用温水洗净阿喀琉斯的身体，给他穿上他母亲忒提斯在他出征时给他的华丽服装。当他就这样躺在帐篷里时，雅典娜从奥林匹斯山上向她的宠儿投下同情的目光，并向他的头上洒下几滴芳香的神水，避免阿喀琉斯的尸体腐烂和变形（阿喀琉斯不仅受到希腊人的拥戴，还得到了神祇的宠爱）。所有希腊人都为躺在灵床上的英雄显得如此威严庄重而感到惊奇，他仿佛是在恬静的睡眠之中并且不久会重新醒来似的。

希腊为他们伟大英雄而发出的巨大悲声也深入到海底英雄母亲忒提斯和涅柔斯的其他几个女儿那里。剧烈的痛苦使她们悲痛欲绝，她们放声大哭，连赫勒斯蓬托斯大海都发出回响。就在当夜，她们一同穿越分离开来的海水，来到希腊人舰船所在的海岸。所有的海怪也与她们一同哭泣。她们悲哀地走到尸体跟前，忒提斯用双臂抱起她的儿子，吻他的嘴，哭得大地都被她的泪水湿透。希腊人都纷纷退下，直到女神们重新飘去时，他们才又朝尸体靠近过来。

天一破晓，希腊人就从伊得山上运下无数的木头，把它们高高地堆了起来，把许多被杀死的人的铠甲、祭祀用的牲畜以及黄金和贵金属都放在火葬堆上。希腊英雄们剪下他们的头发，死者喜欢的女奴布里塞伊斯也献上她的卷发，作为给她的主人的最后赠礼。随之他们给堆起的木材浇上油，放上盛装蜂蜜和美酒的大碗，把尸体置放在木架的上面。然后他们全副武装，或骑在马上或徒步绕着火葬堆环行。火点燃起来，烈焰熊熊而起，战士们迸发出一片哭声。风神埃俄罗斯按照宙斯的命令送来他的疾风，直吹进垒起的噼啪作响的木材中间，这使火葬堆连同尸体在短短的几个小时之内就变成灰烬。最后的火焰被用酒浇灭。英雄的遗骸像一个巨人的骨骸一样躺在那里，与那些同他的尸体一起被烧掉的东西截然分离开来。他的战友叹息着把遗骸集拢起来，放进一个宽大的、镶着金银的匣子里，安置在海滨的一个最庄严的地方，与他的朋友帕特洛克罗斯的遗骸并排葬在一起，并筑起一座高高的坟墓。

为纪念阿喀琉斯举行的赛会

这几天特洛伊人也举行了一场葬礼。特洛伊人的忠实同盟者吕喀亚人格劳科斯在最近的一场与希腊人的战斗中阵亡，他的朋友从敌人手中救出了他的尸体，把他火化和进行安葬。

翌日堤丢斯和儿子狄俄墨得斯在希腊英雄举行的会议上站起来提议，在敌人从阿喀琉斯死后尚未恢复勇气的时候，立即用战车和大队人马向城市发动进攻并把它攻陷。但忒拉蒙的儿子大埃阿斯却表示反对。“崇高的海洋女神忒提斯为她儿子的死而悲痛，我们不向她表示致意并围绕她儿子的坟墓举行一场隆重的殡葬赛会，这样做对吗?”他说，“她在昨天回到海洋前向我瞟了一眼，示意我，不要使她的儿子受到不光彩的待遇。至于特洛伊人，只要你、我和阿伽门农还活在世上，那他们就很难鼓起勇气。”——“我同意你的意见，”狄俄墨得斯回答说，“实现忒提斯的愿望比紧迫的战斗更为重要。”

狄俄墨得斯的话刚一说完，岸边的海浪就分离开来，珀琉斯的妻子从海水中出现并来到希腊人中间。与她一道前来的还有那些仙女，她们是她的侍女。这些仙女从她们披在身上的轻纱中取出精美的奖品，展放在希腊人的眼前。忒提斯鼓动英雄们开始进行比赛。这时涅斯托耳站了起来，他不是为了参加比赛，而是讲了一番动听的言辞，称赞涅柔斯的美丽的女儿。他讲述了她与珀琉斯的婚礼，颂扬了阿喀琉斯的永垂不朽的业绩。

他的这番话使悲伤的母亲心灵上得到巨大慰藉，希腊人虽然急于进行竞赛，却极为高兴地倾听，并用欢呼表示对他的颂词的赞同。忒提斯把她儿子的两匹骏马赠给涅斯托耳，然后她又从带来的礼品中挑出十二头牡牛作为赛跑胜利者的奖品。

现在狄俄墨得斯和忒拉蒙的儿子强大的大埃阿斯站起来进行角斗。在他们伙伴的好奇目光的注视下，这两个人势均力敌，难分高下。大埃阿斯用强劲的双手抱住狄俄墨得斯，要把他摔倒。但同样灵活和孔武有力（形容人很有力气）的狄俄墨得斯却从容挣脱开来，用肩部抵住，把强大的对手举到空中，使他的双臂耷拉下来，抛下时用左脚一绊就把他摔倒在地。观众大声喝彩。但大埃阿斯站了起来，重新投入角斗。他俩像山里的两头野牛一样，狂怒地用他们的铁头相互顶撞。这时涅斯托耳站到他们中间，说道："孩子们，别斗了。我们大家都知道，自从我们失去伟大的阿喀琉斯之后，你们俩就是我们希腊人中最勇敢的人！"赞同的呼声响了起来，忒提斯赠给他俩四个俘虏来的女奴，她们都是阿喀琉斯在勒斯玻斯岛上掠来的，十分勤劳并且心地善良。

随后开始拳击比赛，伊多墨纽斯站了起来，可没有一个人出来与他进行较量。忒提斯把帕特洛克罗斯的战车赠给他作为奖品。但福尼克斯和涅斯托耳鼓励年轻人参加拳击比赛。于是帕诺派俄斯的儿子厄珀俄斯站了出来，随后不久忒修斯的儿子阿卡玛斯也走到当场。两个人很快用干燥的皮带把他们的手缠住，试试是不是灵活。比赛开始了。忒修斯的儿子不停地抵御对手的进攻并狡黠地进行躲闪，然后突然用拳击中对手的额头，血涌了出来。可厄珀俄斯却反击回去，击中了阿卡玛斯的太阳穴，他蹒跚了几步就倒在地上。但他又立起身来，战斗重新开始，直到朋友们出来阻止，并使这两个恼羞成怒的人懂得，他们所进行的不是希腊人同特洛伊人之间的战斗。忒提斯赠给他俩两只精美的银制调酒杯，这是她儿子从楞诺斯岛带回来的礼品，两位英雄高兴地接受了。

现在俄琉斯的儿子小埃阿斯和透克洛斯争夺射箭比赛的奖赏。阿伽门农在远处安放了一顶上面带有马缨饰物的头盔作为箭靶。谁的箭镞射断马缨，谁就是胜利者。小埃阿斯先弯弓射出了他的箭镞，它射中了头盔，发出响声，透克洛斯也迅速地射出了一箭，箭尖射断了马缨。观看的英雄们大声喝彩，忒提斯把特洛伊王子特洛罗斯的铠甲赠给透克洛斯，这一副铠甲是阿喀琉斯在战争初期杀死特洛罗斯后得到的。

随后是投掷铁饼的比赛。许多英雄都参加了，但没有一个人像忒拉蒙的儿子大埃阿斯那样投得那么远，沉重的铁饼在他手中就像一块枯木一样。忒提斯把神祇之子门农的铠甲赠给了他，这副铠甲同样也是阿喀琉斯杀死门农后抢来的。

现在轮到了跳远比赛，跳远能手阿伽门农成了胜利者，他得到了阿喀琉斯战胜库克诺斯后抢来的武器。欧律阿罗斯在投枪比赛中赢得胜利，得到了银碗，这是阿喀琉斯从吕耳涅索斯那儿掠夺来的战利品。

随后是战车竞赛。有五位英雄立即套上了他们的战马。他们是墨涅拉俄斯、欧律阿罗斯、波吕波忒斯、托阿斯和欧墨罗斯。他们每个人都把自己的战车赶到出发点，挥动鞭子，口令一下，五个人同时冲上平原，卷起一片尘土。不久欧墨罗斯的战车超出了其他的战车，在他之后的是托阿斯，随之是墨涅拉俄斯；另外两人的战车则落在后面。托阿斯的战马渐渐精疲力竭，欧墨罗斯的马匹在急驰中突然绊了一下，当他想用力勒住缰绳时，马匹直立起来，把战车掀翻，欧墨罗斯滚倒在地。从观众中迸发出一声呼叫，现在墨涅拉俄斯的战车行驶而过，远远超越了其他人，到达了目的地。阿特柔斯的儿子由衷地为自己的胜利而感到高兴，忒提斯赠给他一个金杯，这是她儿子从厄厄提翁的宫殿里掠夺来的战利品。

成长启示

自从朋友死后，阿喀琉斯整日陷入巨大的悲伤之中，甚至因此不思饮食。给朋友报仇后，他残忍地对待仇人赫克托耳的尸体，并用十二个特洛伊俘虏来献祭朋友。阿喀琉斯重情重义的品质值得我们学习，但他为朋友报仇、整日郁郁寡欢的做法却不可取。给我们带来快乐的从来都不是怨恨和不满，而是宽容和谅解。学会宽容，人生会变得更加广阔；忘记计较，生活中才能洒满阳光。

要点思考

1. 为了给朋友报仇，阿喀琉斯做了哪些事情？

2. 国王普里阿摩斯为什么要带着丰厚的礼品去见阿喀琉斯？

写作积累

- 心有余悸　狼吞虎咽　汗流浃背　生龙活虎　勇往直前
  一文不值　灰头土脸　不由自主　手无寸铁　神采奕奕
  战战兢兢　目瞪口呆　心惊肉跳　奋勇争先　落荒而逃
  七零八落　无坚不摧　孔武有力
- 哀伤不会给我们带来任何帮助。
- 一个人是不是英雄，必须在战场上表现出来。

第五卷

导读

希腊人与特洛伊人的战争仍在继续着。为了得到百发百中的神箭，奥德修斯和皮洛斯找到了菲罗克忒忒斯，曾被希腊人遗弃的菲罗克忒忒斯会作何选择呢？为了深入敌军内部，奥德修斯想出了一条“木马计”，他的计策能够成功吗？战争的最后，希腊人和特洛伊人哪一方取得了胜利呢？让我们带着这些问题，开启本卷的阅读吧！

大埃阿斯之死

比赛结束了，这时忒提斯把她儿子的那些铠甲和武器作为奖品摆放在希腊人面前。英雄的盾牌依然熠熠生辉，上面的艺术图案闪闪发光。靠在它旁边的是沉重的头盔，上面的凸起部是宙斯的神像；紧挨着的是精致的隆起的胸甲，它呈黑色，坚不可摧，曾保护了阿喀琉斯的胸部；随之是沉重的，却很舒适的腹甲。靠在腹甲旁的是那把装在银制剑鞘里的利剑，它的金制的剑托和象牙剑柄发出耀眼的光辉。摆在宝剑旁边的是那支沉重的长矛，它像一棵被伐倒的冷杉，上面还带有赫克托耳的血渍。

忒提斯站在这些武器的后面，她用一块深色的面纱罩住她的头部，极为悲恸地对希腊人说道："在为我儿子举行的殡葬赛会上胜利者都得到了奖品，但现在我要把我儿子的这些出色的武器送给救出我儿子尸体的最勇敢的希腊人，这都是神祇的赠品，就是神祇自己对它们也十分喜爱。"

这时有两位英雄同时跳出来并突然争吵起来，他俩是拉厄耳忒斯的伟大儿子奥德修斯和忒拉蒙的魁梧高大的儿子大埃阿斯。

大埃阿斯奔到这些武器旁边，眼睛像是晚星一样闪烁光亮（动作和神态描写，用"奔"的动作和闪烁光亮的眼神表现了大埃阿斯兴奋的心情）。他呼叫伊多墨纽斯、涅斯托耳和阿伽门农为他的功劳做证。但奥德修斯向这些英雄也提出同样的要求，因为他们是全军中最明智和最公正的人。涅斯托耳把两个人拉到一边，忧心忡忡地说道："军队中两位最英勇的英雄争夺这些武器会给我们大家带来巨大的不幸！两个人中无论谁落败了，都会感到受到伤害并气愤地退出战斗，那我们大家都会对他置身事外的做法感到痛心。因此请听从我这个见多识广的老人之言。军营中有许多特洛伊人俘虏，我们让他们来仲裁大埃阿斯和奥德修斯之间的争论。他们是不偏不倚的，没有从两位英雄身上得到过任何好处。"

两个最高贵的特洛伊人做了裁判。大埃阿斯首先站到他们面前。"是哪个魔鬼迷住了你，奥德修斯，"他愠怒地喊道，"竟来跟我较量？你与我相比，就像是狗与狮子做比较。或者你忘记了吗，你是多么想退出希腊人讨伐特洛伊人的征战？哦，你是多么想留在家里！劝我们在波阿斯的勇敢儿子菲罗克忒忒斯遭到不幸的时候，把他遗弃在楞诺斯荒岛的人不正是你吗！帕拉墨得斯之死正是由于你的过错，因为他的勇敢和他的智慧都胜过你！而现在你也忘记了我对希腊人所做出的许多贡献。在那场鏖战中间，你被大家遗弃，孤身一个，无法逃脱，正是我救了你的命，你竟然也忘记了！在保护阿喀琉斯的尸体时，把尸体连同所有的武器都抢回来的不是我吗？你根本就没有力量把英雄的铠甲和武器夺回来，更谈不上阿喀琉斯的尸体了！因此不要同我争他的武器，我不仅比你强大，而且出身高贵，我本人与英雄还有血缘关系！”

奥德修斯却流露出一种嘲讽的微笑，回答说：“大埃阿斯，你讲这些废话有什么用？你责备我胆小和软弱，可你不知道，只有拥有智慧的人才是真正强大的人。在困难面前一个有智谋的人要比一个有一身蛮力的傻瓜宝贵得多。这也是狄俄墨得斯挑选我作为他最足智多谋的伙伴前去瑞索斯（色雷西亚国王，特洛伊人的盟友，在他前往援助特洛伊人的途中，狄俄墨得斯同奥德修斯去劫营，杀死了瑞索斯及其随从）军营的原因；希腊人应当感谢我的智慧，因为是我说服了阿喀琉斯来同特洛伊人作战，我俩在这儿来争夺的就是他的武器。如果希腊人有了一个新的英雄的话，请相信我，大埃阿斯，不是你那笨拙的手臂，也不是军队中某一个人的机智所能左右的，而只有我的话他才听从。再说，众神赋予我的不仅仅是智慧，还有坚强的体魄；你说你从敌人手中拯救了我这个逃跑的人，这是不真实的；正相反，我直面敌人的进攻并杀死了攻击我的敌人。你却站在那儿动也不动，想到的只是你自己的安全。”

他俩就这样长时间地进行争论，到最后裁判们一致认定阿喀琉斯出色的铠甲和武器归奥德修斯所有。

大埃阿斯听到这个仲裁结果时，内心狂跳不已，血管中的血液由于愤怒而沸腾起来。他的头脑感到针刺般的痛苦，全身颤抖不止。他像一根巨柱一样长时间站在那儿，目光垂地。到最后他的那些悲哀的朋友好心地步履缓慢地把他领回到舰船上。

这期间，黑夜已从海面上升起。大埃阿斯却坐在他的帐篷里，不思饮食，不想睡觉。他全身武装起来，紧握锋利的宝剑，他在考虑是不是去杀死奥德修斯，把舰船烧毁或者用他的利剑在希腊人中大开杀戒。

如果不是雅典娜关心她的朋友奥德修斯并使这位暴怒的英雄发疯的话，那他一定会从这三个计划中选择其一。痛苦在针刺他的心，他从他的帐篷里跑出，冲进希腊人的羊群中间，雅典娜女神已使他头晕目眩，他把这群羊当成是希腊士兵。那些牧羊人看到他这副疯狂的样子就藏身在斯卡曼德洛斯河畔的丛林之中。大埃阿斯在羊群中间左砍右刺，进行着一场可怕的屠杀。他冲向两只大公羊，接连用长矛刺穿它们，并嘲笑地喊道："你们这些恶狗，躺在地上做秃鹰的食物吧，可恶的阿特柔斯的儿子，你们再不能去认可不公正的裁判了！"

就在他发疯期间，忒克墨萨——她是佛律癸亚国王的女儿，大埃阿斯把她掳来，并把她像妻子一样地对待，而她也炽烈地爱他——一直在整个军营中和在舰船中间寻找他。她在帐篷里时就发现他情绪恶劣，闷闷不乐，她没有问是什么原因，因为大埃阿斯是不会回答她的。在他离开帐篷不久，她心中就产生了一种不祥的预感，终于她在羊群中发现了这场可悲的屠杀。在绝望中，她跑回帐篷并看见了大埃阿斯。他满脸惭愧，垂头丧气，他时而呼叫他的同父异母的兄弟透克洛斯，时而呼唤他幼小的儿子欧律萨刻斯，他祈求一种高贵的死法。

忒克墨萨含着泪水走近他，抱起他的双膝，恳求他不要把她孤零零地抛下，成为敌人的一个女俘；她也请求他想想在萨拉弥斯的年迈双亲，她把他的儿子抱给他，让他想想，如果孩子没有父亲，得不到呵护，会有怎样的命运。大埃阿斯猛地抱起他的儿子，一边爱抚一边说道："噢，孩子，你在一切方面都要像你的父亲，只是不要像你父亲那样不幸！我的兄弟透克洛斯一定会成为你好心的抚养人，但现在我的盾牌监管人将把你送到萨拉弥斯——我的双亲忒拉蒙和厄里玻亚那里。"说罢他把孩子交给他的仆人，并将他心爱的忒克墨萨委托给他的兄弟。随后他挣脱她的拥抱，用自己的宝剑结束了自己的性命。

希腊人听到他死亡的消息后都极为震惊，他们成群地跑来，伏在地上放声恸哭。最终透克洛斯抑制住悲痛，准备安葬他亲爱的兄长的尸体。墨涅拉俄斯却阻挡他。"你敢去安葬这个人！"他说，"他比我们的仇敌特洛伊人更可恶。他的丑恶的自杀行为不能得到一座光荣的坟墓。"在墨涅拉俄斯为大埃阿斯的尸体与透克洛斯发生争吵期间，阿伽门农走了过来，他站在他的兄弟的一边，在激烈的争论中，他斥责透克洛斯是一个奴隶的儿子。透克洛斯提醒他们，要想到死去的英雄为希腊人立下的汗马功劳，要想到当特洛伊人在焚烧希腊人舰船和赫克托耳越过壕沟登上甲板时，他是怎样地挽救了全军。但他的话对墨涅拉俄斯和阿伽门农丝毫不起作用。

突然奥德修斯出现了："一个忠实的朋友可以向你们说出实话而不被看作是怀有恶意吗?"——"你说吧，"阿伽门农惊奇地望着他说，"在希腊全军中我把你当作我最好的朋友!"——"那好，听我说!"奥德修斯说道，"以众神做证，这个人不应当得不到同情，不应当得不到安葬！不要让你的权力把你引向荒谬的仇恨！想想吧，如果你伤害了这样一位英雄，那他不会因此而受到贬抑，但众神的法律和意志会受到蔑视!"阿特柔斯兄弟俩听到这番话后，惊讶得长时间说不出话来。终于阿伽门农喊道："你，奥德修斯，难道你没想到他是你的死敌吗？你要对这样一个人大发善心？”——“虽然他是我的敌人，”奥德修斯回答说，“我恨他，但是现在他死了，我们必须为失去这样一位高贵的英雄而感到悲哀，我不能也不可以再与他为敌了。我准备去安葬他，我要帮助他的兄弟去完成这项神圣的任务。”

透克洛斯在奥德修斯到来时，厌恶地走到一旁，但当他听到这番话时，就向奥德修斯走去，向他伸出胳膊，同他握手。“高贵的人，”透克洛斯喊道，“你，大埃阿斯的伟大敌人，你是死者唯一的保护者！尽管如此，我还是不敢让你去触碰这个尸体。在其他方面你可以帮助我，还有很多事情可做，来显示你的宽宏大量！”在说这番话的同时，透克洛斯指向忒克墨萨，她仍一直茫然地坐在那里。奥德修斯亲切地转向她。“哦，女人，”他对她说，“你永远不会成为另一个人的奴隶。只要透克洛斯和我还活着，那你和你的孩子就会得到照顾，就像大埃阿斯还一直站在你们身边一样。”

阿特柔斯的两个儿子感到羞愧，不敢去反对奥德修斯的高尚意见。英雄们一起把魁梧的身躯从地上抬起，送到船上，在那儿洗去尸体上的血污，最后举行了一场隆重的火葬。

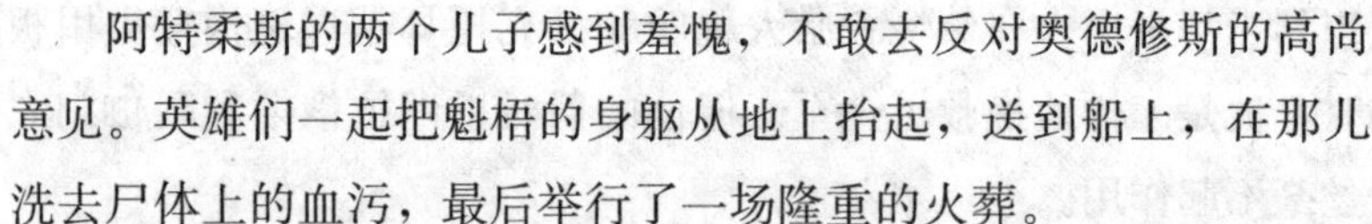

玛卡翁和波达利里俄斯

翌日希腊人都拥入墨涅拉俄斯召集的全体大会。当所有人都到场之后，他站了起来并开始讲话：“听我说，你们诸位！当我看到我们的士兵在我们面前死去时，我的心在流血。他们为我而远赴战场，到最终没有一个会返回故乡，重见亲人！与其这样，不如让我们离开这不幸的海岸，还活着的人乘船返回故国。自从阿喀琉斯和大埃阿斯死去之后，我们的事业再也无望得到成功。至于我个人，现在我关心你们胜于关心我那不贞的妻子。随她去跟那个女人气的帕里斯在一起好啦!”

墨涅拉俄斯说这番话，只是为了试探希腊人而已，在他内心里没有什么比消灭特洛伊人更强烈的渴望了。狄俄墨得斯没有看出他的用意，于是责备他说：“真是不可理喻！是怎样可耻的怯懦主宰了你英雄般的心胸，居然使你说出了这样的话？希腊的勇敢儿子在把特洛伊城夷为平地之前是绝不会跟随你而去的！但如果有一个人跟随你的话，那我这把蓝色宝剑就使他脑袋搬家!”——狄俄墨得斯刚一重新坐到他的座位上，预言家卡尔卡斯就站了起来，用一种聪明的建议来调和这种表面上的争论。“你们大家还都记得，”他说道，“我们在九年多之前，当我们扬帆出海前来攻占这座可诅咒的城市时，我们把赫拉克勒斯的朋友菲罗克忒忒斯丢弃在楞诺斯的荒岛上，因为他那中毒的伤口发出恶臭，他那痛苦的叫声令我们无法忍受；可即使如此，我们的做法也是不对的，用这样的方式遗弃了这个可怜人是无情的。但有一个被俘的预言家告诉我，只有菲罗克忒忒斯从他的朋友赫拉克勒斯那里继承的神圣且百发百中的神箭和阿喀琉斯的儿子皮洛斯的前来，才能帮助我们攻占特洛伊城。这个被俘的特洛伊人之所以把他的预言告诉我，大概是因为他以为这是不可能做到的。因此我建议尽快派我们最强大的英雄狄俄墨得斯、最能言善辩的奥德修斯到斯库洛斯岛去，阿喀琉斯的儿子在那儿由他的外祖父抚养成人。借助他的帮助，我们随后就去说服菲罗克忒忒斯重新与我们汇合在一起，并给我们带来能征服特洛伊的不朽武器。”

希腊人对这个提议大声喝彩表示赞同，两位英雄随即乘船离去。这期间军队准备重新开始战斗。忒勒福斯的儿子欧律皮罗斯

从密索斯带来一支队伍前来援助特洛伊人，这使他们力量大增，勇气十足。希腊人则相反，他们失去了两位最好的英雄。这样一来，重新开始的战斗使他们遭到了重大的伤亡。希腊人中最英俊的尼柔斯也被欧律皮罗斯的长矛刺中，与其他死者一道倒在尘土之中。欧律皮罗斯对他大加嘲弄，要剥去尸体上漂亮的胸甲。玛卡翁目睹尼柔斯之死，愤怒至极，他迎了上去，用他的长矛刺中了欧律皮罗斯的强壮的肩膀，鲜血一下子涌了出来。但欧律皮罗斯像一头受伤的野猪一样冲向玛卡翁。玛卡翁朝他投来一块巨石，但欧律皮罗斯的头盔保护了他，他急如闪电般把长矛刺入这个希腊人的胸膛。带血的矛尖直透入脊骨，玛卡翁栽倒在地，发出当啷的声音。欧律皮罗斯从死者身上拔出长矛，发出冷笑并重新投入战斗。

透克洛斯看到他俩战死就召唤希腊人来保护他俩的尸体，但最终他们还是被特洛伊人击败了。罗克里斯的小埃阿斯被埃涅阿斯用石块击伤躺倒在地，他的伙伴把这个气息微弱的英雄从战场上抬下来，希腊人都向舰船退去。特洛伊人在逃跑的人中间横冲直撞，若不是此时夜幕降临的话，他们都会把战船烧毁。胜利者欧律皮罗斯与他的士兵在黑夜到来之前返回西摩伊斯河口，兴高采烈地安营扎寨。希腊人则相反，他们停在舰船旁海岸的沙地上，整夜都为在战斗中死去的无数弟兄而哀伤和恸哭。

第二天朝霞刚一升上天空，希腊人就又起来，他们充满战斗的渴望，要向欧律皮罗斯复仇。他们之中一些人在舰船旁安葬了英俊的尼柔斯和医术高超的医生——勇敢顽强的英雄玛卡翁。这期间远处的战斗又爆发了，而玛卡翁的兄弟波达利里俄斯——他也是军队中的一个出色的医生，与玛卡翁同样的著名——一直伏在地上悲痛不已，拒绝饮食。他不肯离开他亲爱的兄弟的坟墓，他萌生了自杀的念头，时而握起手中的宝剑，时而拿起烈性的毒药。这毒药是他自己配制并带在身边的。如果不是涅斯托耳走近这个绝望的人的话，那他最终会自杀在他兄弟的新坟之旁。老人看到他哭喊着匍匐在坟上，神经质地用双手捶打自己的胸膛，同时呼叫着死去兄弟的名字。

涅斯托耳走向他，并用亲切的话安慰他说："亲爱的孩子，不要痛哭了。一个理智的男人不应当像一个女人那样在死者坟旁哭喊。你的悲哀不会使他重见天光，烈火已焚烧了他的尸体，他的遗骸已在地下得到安息。他消逝而去，正如他来时一样。你承受着你巨大的悲痛，正如我也承受过我的悲痛一样；厄俄斯的儿子门农杀死了我的孩子，那是我最心爱的儿子，我的其他儿子没有一个像他那样爱他的父亲。想一想吧，所有的人都必须要走这同一条通往地狱的道路。"

波达利里俄斯听到老人的话后依然泪流满面，他说："老人，我的心怎能不为死去的兄弟而感到悲痛呢？当我们的父亲阿斯克勒庇俄斯被接往奥林匹斯时，他把我抱在怀里像自己的孩子一样，与我同桌吃饭，与我同屋共寝，财物与我共享，并把他杰出的医术教给我。在他死了之后，我再也不想看到可爱的天光了！"

可老人依旧安慰他。"想想吧，"他对这个悲哀的人说，"神祇安排了我们的命运，不管是好的还是坏的。黑暗的命运女神主宰一切，她盲目地向世上抛掷支配人的命运。因此巨大的灾难经常降临到善良的人身上，没有一个人能够逃脱。生活不断地变化，时而引向巨大的悲哀，时而又变得欢快。因此世人们流传着这样的话：善者升向光明的天堂，恶人坠入黑暗的地狱。你的兄弟是一个受人喜爱的人，还是一个神祇之子；为此我希望他能列身众神之中。"涅斯托耳在说这番安慰话的同时把长时间躺在坟上的波达利里俄斯扶了起来，并把他从这令人悲伤的地方带走。波达利里俄斯迟疑地跟随着他并仍一再地回望坟墓。

这期间密索斯的欧律皮罗斯来到战场上，希腊人再度逃回舰船，他们时而在这儿，时而在围墙前面进行厮杀。

涅俄普托勒摩斯

战斗在特洛伊城前进行，这期间希腊人的两位使者狄俄墨得斯和奥德修斯顺利地抵达斯库洛斯岛。他们在这儿找到了阿喀琉斯的儿子皮洛斯，希腊人后来称他为涅俄普托勒摩斯，意思是青年战士。他正在外祖父的房前时而练习射箭，时而练习投枪。他俩高兴地观察了他一会儿并同时在他脸上看到了悲伤的痕迹，因为这个年轻人早已知道了父亲的死。当他们走近他时，他们惊喜地发现，这个孩子英俊魁梧，长得完全像他的父亲。

皮洛斯迎上前来，向他们表示问候。“我衷心地欢迎你们，异乡人。”他说，“你们是谁？来自何处？你们要我做什么？”奥德修斯回答他说：“我们是你父亲阿喀琉斯的朋友，我们一点儿也不怀疑，我们正在同他的儿子说话，你的身材和面孔与他长得太像了。我是伊塔刻的奥德修斯，我的同伴是狄俄墨得斯，他是神祇堤丢斯的儿子。我们按照我们预言家卡尔卡斯的指示来到这儿，是为了接你到特洛伊去参加战斗，这样就可以顺利地结束这场战争。希腊的儿子们将赠给你丰厚的礼品，我本人则愿意把原是你父亲的，后来奖给了我的武器退还给你。”

皮洛斯高兴地回答他说：“如果希腊人召唤我，那让我们明天就启程出海。但现在你们同我一起到我外祖父的宫中去，他会盛情款待你们！”到达王宫，他们看到阿喀琉斯的遗孀（某人死后，他的妻子称为某人的遗孀。孀，shuāng）得伊达弥亚依然沉浸在极度的哀伤之中。儿子走向母亲，通告了异乡人的来临，却对她隐瞒了他们的来意，以免使她担惊受怕。饭后两位英雄就寝安歇。

但得伊达弥亚无法平静下来。她预感到，她的儿子也会被召去参加特洛伊战争。因此，翌日刚一破晓她就起来，扑到儿子的胸前，绝望地说道："哦，我的孩子，你不必向我承认，我就知道了，你要同陌生人一道去特洛伊，许多英雄，还有你的父亲都死在那里！可你还很年轻，对战争还一无所知！因此听你母亲的话，留在家里，跟我在一起，不要像你的父亲一样命丧战场!"但皮洛斯回答说："母亲，不要说丧气话！没有一个人在战争中能违抗命运女神的意志。如果我的命运是死亡，那除了为希腊人而死，我还能有什么更好的事做呢?"

这时他的外祖父吕科墨得斯走了进来，站在外孙的面前说道："勇敢的孩子，我看出来了，你和你的父亲一样。但即使你能幸运地从特洛伊返乡，又有谁知道，死亡不会在你返乡途中窥伺你呢？海上之行是十分危险的呀!"他一边说着一边吻着他的外孙，可他并不加以阻拦。孩子英俊的脸上露出微笑，他挣脱开哭泣着的母亲的拥抱，走出宫殿。他告别了故乡，在他后面紧随着两位希腊英雄和二十个得伊达弥亚的忠实男仆。他们抵达海岸，随即扬帆出发。

海神波塞冬使他们一路顺风，在很短的时间后，伊得山峰就在晨光中出现在他们面前，随之是克里萨城、西革翁海岬。他们在特洛伊近处登上陆地，恰巧抵抗欧律皮罗斯的战斗正杀得天翻地覆。他们毫不迟疑地奔向奥德修斯的帐篷，武器和铠甲就放在那里。两位希腊英雄分别挑选武器武装起来，而涅俄普托勒摩斯则束上他父亲阿喀琉斯的铠甲，灵活地挥舞起长枪、宝剑和盾牌，看起来就像他的父亲。他冲入激烈的战斗之中，所有与他一起登陆的人都紧跟在他的后面。

现在特洛伊人又从围墙上退了下来，他们从四面八方拥集在欧律皮罗斯的周围。从涅俄普托勒摩斯手中掷出的每一枪都击中敌人的脑袋，绝望的特洛伊人认为巨大的阿喀琉斯本人又全副武装地出现在他们面前（运用侧面描写，通过写特洛伊人将涅俄普托勒摩斯错认成阿喀琉斯，表现涅俄普托勒摩斯作战顽强、骁勇善战）。阿喀琉斯的精神在他儿子身上复活了，除此以外，涅俄普托勒摩斯是在他父亲的朋友——女神雅典娜的保护下进行战斗，这就使他不受任何刀枪箭矢的伤害。他为他死去的父亲送上一个又一个祭祀的牺牲：墨革斯的两个儿子毙命，一个被他用长矛刺中心脏，另一个被他用巨石击中头部。还有无数的敌人都倒地死去，终于在傍晚时分，欧律皮罗斯和他的军队在阿喀琉斯的儿子面前退却了。

在涅俄普托勒摩斯从战场回来休息时，老英雄福尼克斯——他是涅俄普托勒摩斯的祖父珀琉斯的朋友，父亲阿喀琉斯的教师——来到这个年轻英雄面前，惊奇地看到他与阿喀琉斯相似的样子。他拥抱起这个英俊的年轻人，亲吻他的头和胸部并喊道："哦，孩子，我觉得你父亲又在我们中间复活了！可现在你不要因为哀悼父亲而气馁，你应当来帮助希腊人，杀死忒勒福斯的儿子欧律皮罗斯。"

天一破晓，战斗又重新开始。长枪与长枪一来一往，宝剑与宝剑相互砍杀，一个人冲向另一个人。双方打得难解难分，每一边都杀死也被杀死许多英雄。最终欧律皮罗斯的一个朋友倒地毙命，他要向希腊人复仇，于是他冲进敌人中间，杀死敌人就像在浓密的林中伐树一样。这时涅俄普托勒摩斯站在了他的对面。"你是谁，年轻人？你由何处来，要跟我战斗？"欧律皮罗斯首先

向他的敌人喊道。涅俄普托勒摩斯回答说："为什么你要像一个朋友一样问我的出身，难道你不是我的敌人吗？那听我说，我是阿喀琉斯的儿子，他曾经打伤你的父亲。我战车的马都是旋风女神哈耳庇厄和西风神仄费洛斯的孩子，它们能越海驰骋。这长枪是我父亲的长枪，你现在可以试试了！"英雄说罢就跃下战车，舞起长枪。这当儿欧律皮罗斯从地上抬起一块巨石，朝他敌人的金盾掷去，但金盾毫未颤动。现在他俩像两只野兽一样扑在一起，在他们前后左右，士兵们在相互厮杀，队伍犹如波浪般翻腾不已。终于涅俄普托勒摩斯找到了破绽，把长枪刺入对手的喉咙。紫红色的血从伤口喷涌而出，欧律皮罗斯像一棵断根的大树那样栽倒在地，旋即死去。

这时战神阿瑞斯挥舞起他的巨矛，大声地激励特洛伊人去打击敌人。他们听到了神的声音，但令人惊奇的是他们看不到他，因为阿瑞斯隐身在一片云雾之中。普里阿摩斯的儿子、受人称赞的预言家赫勒诺斯第一个听出来那是战神的声音，他向他的同胞喊道："不要怕！朋友们，强大的战神就在你们中间，难道你们没有听到他的呼唤吗？"现在特洛伊人又变得勇敢起来，双方的血战又重新爆发了。阿瑞斯给特洛伊人注入巨大的勇气，到最后希腊人的队伍开始动摇了。

但涅俄普托勒摩斯并不惧怕战神，他勇敢地继续战斗并不断杀死敌人。战神对他的大胆极为愤怒，并准备撕掉包围他的云雾，现身出来直接与他进行较量，这时希腊人的朋友雅典娜急忙从奥林匹斯山赶往战场。大地和斯卡曼德洛斯河为她的到来而发出震颤，她的武器迸射出灼亮的闪电，她的戈耳工盾牌上的蝮蛇喷吐着火焰，可她隐而不露她那致人死命的目光。若不是宙斯用一记警告的响雷恐吓他们，那在战神和雅典娜之间就会爆发一场决斗了。两位神祇知道这是父亲的意志。阿瑞斯返回特剌刻，而雅典娜回到雅典。战场上剩下的又都是凡人了。现在特洛伊人的力量已经消退了，他们向城里逃去，希腊人紧追不舍。特洛伊人在城墙上勇敢地保卫他们的城市，若不是宙斯——他清楚命运之神的意志——用云雾把特洛伊城笼罩起来的话，希腊人真的会突破城门。聪明的涅斯托耳这时建议希腊人撤退回营，安葬死者并进行休整。

第二天，希腊人惊奇地看到特洛伊城堡又在清晰的晨光中出现了，知道了昨天傍晚的云雾是众神之父创造的奇迹。这一天，双方休战。特洛伊人利用这个机会隆重地安葬了密索斯人欧律皮罗斯。而涅俄普托勒摩斯去拜谒（拜见。谒，yè）自己父亲的巍峨坟墓，亲吻矗立其上的华丽石柱，含着泪水悲恸地说道："亲爱的父亲，我向您问候，我永远不会忘记您！哦，您若是活着那该多好！可您现在看不到您的孩子，我看不到父亲；我的心在炽烈地思念您啊！"随后他返回舰船。

翌日又爆发了争夺特洛伊城的战斗，这战斗持续了一整天，但希腊人并没有攻进城里。在斯卡曼德洛斯河岸，希腊人伤亡惨重。涅俄普托勒摩斯一听到这个消息，就驱使他的驭手奥托墨冬策马驶往那里。特洛伊国王的儿子得伊福玻斯惊讶地看到他的接近，他犹豫不决，是逃跑还是迎向这个危险的敌人。涅俄普托勒摩斯却从远处朝他喊道："普里阿摩斯的儿子，你在颤抖的希腊人面前多么狂妄骄横啊！这不奇怪，你把自己当作世上最勇敢的英雄了嘛。好呀，现在你也同我来较量较量！"说罢涅俄普托勒摩斯就像一头狮子一样向他冲去，若不是阿波罗从奥林匹斯山上下来，隐身在云彩中间并把面临死亡的得伊福玻斯带回城内，那涅俄普托勒摩斯肯定会把他连同战车驭手一道杀死。特洛伊人也跟着得伊福玻斯逃了回去。涅俄普托勒摩斯发现他的投枪没有射中就悻悻地叫了起来："你这条狗，这次你逃脱了，可不是你的勇敢救了你的命，而是一个神祇从我手中把你抢走了！"随后他又投入战斗，可站在城墙上的阿波罗保护了这座城市。

这时预言家卡尔卡斯提醒希腊人退回船营。他在那儿说道："朋友们，如果我告诉你们的预言的另一部分得不到满足，即把菲罗克忒忒斯和他的百发百中的神箭一同从楞诺斯岛带到这儿，那我们攻不下这座城市，战斗是白费力气。"

于是希腊人当即做出决定，派聪明的奥德修斯和勇敢的年轻人涅俄普托勒摩斯前去楞诺斯岛。他俩随即乘船出发。

菲罗克忒忒斯在楞诺斯岛

他们在荒凉的楞诺斯岛渺无人迹的海岸登陆。在九年多之前，因波阿斯的儿子菲罗克忒忒斯患有不愈的创伤使希腊人不堪忍受，奥德修斯就把他放在这里的一座有两个出口的山洞里。这两个出口一个在严冬可以御寒，另一个在酷暑能得到阴凉，附近有淙淙流动的山泉。两位英雄很快就又找到了这个地方，奥德修斯发现这儿还和当年一样。山洞却是空空的，只有用树叶铺成的一张宽大的床榻，像是被一个睡过的人压得平平的，还有一个用木头刻成的粗糙的杯子以及一些烧火的用具，这表明这儿住有一个人。阳光下还晾晒着一些血污的破布，这使人毫不怀疑，生病的菲罗克忒忒斯就是住在这里的人。为了避免受到这个患病者的偷袭，他们派了一个仆人守候在这里。

"趁这个人不在的时候，"奥德修斯对阿喀琉斯的年轻儿子说，"让我们商量一下我们的计划，因为只有借助谎话才能使他就范。在你们头一次相见时我不能在场，他恨死我了，并且恨得有理！当他问你是谁和从何处来时，你如实地回答他好了，说你是阿喀琉斯的儿子。但你还要说些假话，谎称你愤怒地离开了希腊人，因为他们虽然恳求你去特洛伊但拒绝把你父亲的武器给你，他们把这些武器给了奥德修斯。然后你就在他面前骂我，随你怎么骂好了，因为不用诡计，我们无法得到这个人和他的神箭。”

这时涅俄普托勒摩斯打断了他的话。“拉厄耳忒斯的儿子，”他说，“这样的事我听着不能不感到憎恶，而且我也不能这样做；我的父亲和我天生不会耍这种丑恶的手段。我宁愿用武力去抓住这个人，不要让我搞这种阴谋诡计！再说他只是一个人，而且还只有一只脚，他怎么能胜过我们呢？”——“他用那百发百中的神箭就能胜过我们！”奥德修斯平静地回答说，“我清楚地知道，我的孩子，你没有说谎的本事。但是如果你考虑到，只有赫拉克勒斯的弓箭才能征服特洛伊，而你通过这件事情能像以勇敢著称一样去赢得聪明的声誉，那你一定不会长时间地拒绝说几句谎话的！”

涅俄普托勒摩斯屈服于他老朋友说的这些理由，随后像约定的那样，奥德修斯离开了。没过多久，他们听到从远方传来备受折磨的菲罗克忒忒斯的痛苦喊叫声。他从远处看到了一艘船停靠在没有港口的海岸，于是朝着涅俄普托勒摩斯和他的随从们奔了过来。“痛苦啊，”他向他们喊道，“你们是什么人？怎么来到了这荒凉的小岛？虽然我能认出你们穿的是令人喜爱的希腊人的服装，可我也想听听你们谈话的声音。不要为我的粗野的外貌而感到惊慌，而应当同情我这个不幸的人，被朋友们遗弃的遭受磨难的人！”

涅俄普托勒摩斯像奥德修斯教他的那样做了回答。于是菲罗克忒忒斯迸发出一阵欢快的笑声："亲切的希腊声音啊，这么长的时间我的耳朵没有听到过了！阿喀琉斯的儿子啊，这么说希腊人对待你像对待我一样，没有什么不同！告诉你吧，我是菲罗克忒忒斯，波阿斯的儿子。阿特柔斯的两个儿子和奥德修斯在前去征伐特洛伊途中曾把一个备受可怕的伤痛折磨的人遗弃在这里，那个人就是我啊。那时我无忧无虑地睡在海岸边这个高高的岩洞里，随之他们就不讲信义地逃走了，留给我的只是一些可怜的破烂衣服和少许的食物，像对待一个乞丐似的。你相信吗？亲爱的孩子，你知道当我醒来时是怎样的吗？当整个舰船远去，再也看不到一个人时，那是怎样的一种悲哀，怎样的一种恐惧啊！我没有医生，没有帮助。我在这儿过着忍饥挨饿的生活，这是第十个年头了；这一切就是阿特柔斯的两个儿子和奥德修斯给我造成的，愿众神给他们以同样的惩罚！"

涅俄普托勒摩斯听了他的话十分感动，可是他想到了奥德修斯的提醒。他说到了他父亲的死，说到了他的希腊同胞所面临的命运，并说了些奥德修斯要他说的谎话。菲罗克忒忒斯非常关心地倾听。随后他握住阿喀琉斯儿子的手，悲痛地哭了起来并说道："亲爱的孩子，请你看在你父母的份上，把我从这痛苦中救出来。我知道，我是一个令人讨厌的累赘；可请你把我带走吧，不要弃我于这可怕的孤独之中，你是我的拯救者，带我到你的家乡去。从那儿到我父亲住的俄塔山并不是很远。"

涅俄普托勒摩斯心情沉重地向这个病人许下了不忠实的诺言："只要你愿意，那我们就上船；但愿神祇使我们尽快离开这个地方，一帆风顺地到达我们要去的目的地！"菲罗克忒忒斯跳了起来，欢叫了一声，握住年轻人的手。在这当儿伪装成希腊水手的那个派来窥探的仆人与另一个水手一道出现了。他对涅俄普托勒摩斯讲述了一个捏造出的消息，说狄俄墨得斯和奥德修斯遵照预言家卡尔卡斯的指示去抓一个名叫菲罗克忒忒斯的人，要把他带到特洛伊去，因为只有这样，才能攻占这座城市；此刻他俩已在途中了。

这个可怕的消息使菲罗克忒忒斯一下子投入涅俄普托勒摩斯的怀里。菲罗克忒忒斯收拾起赫拉克勒斯的神箭，把它交给年轻的英雄，让他保管，随后他们走出石窟的洞口。这时涅俄普托勒摩斯在他俩到达海岸之前，再也无法隐瞒实情编造谎言了，他说：“菲罗克忒忒斯，我再不能欺骗你了；你必须与我一道去特洛伊，到阿特柔斯儿子们和希腊人那里！”菲罗克忒忒斯惊慌地后退，他恳求，他咒骂。但正当这个年轻人的同情在心里占了上风时，奥德修斯从草丛里跳了出来。

菲罗克忒忒斯立即把他认了出来。“哦，我真倒霉呀，”他喊道，“我被出卖了，被谋杀了！这就是那个把我遗弃在这里的人，现在他又施展诡计骗去了我的神箭！——好孩子，”他讨好地对涅俄普托勒摩斯说，“你把我的弓箭还给我！”但奥德修斯打断了他的话。“绝不可能，”他喊道，“即使这个年轻人想这样做也不行。你必须与我们一起走。必须这样！这关系到希腊人的幸福，这关系到特洛伊的毁灭！”随之奥德修斯把他交给仆人看管并把默默无言的涅俄普托勒摩斯拉走。

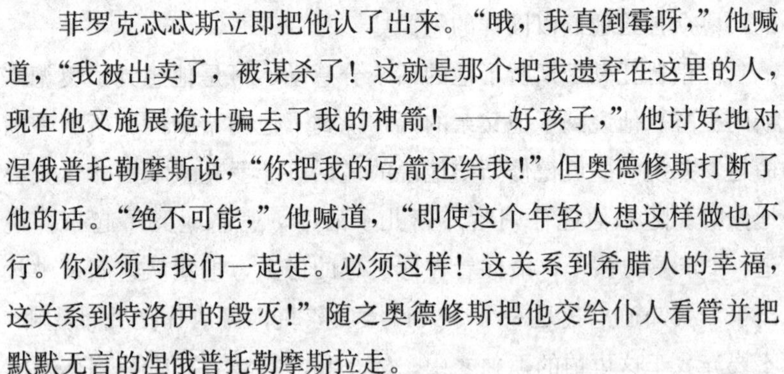

菲罗克忒忒斯与那些仆人走到洞口时停了下来，他诅咒这无耻的欺骗，呼救神祇为他复仇。这时他突然看到涅俄普托勒摩斯同奥德修斯一边争吵一边返了回来，并从远处听到年轻人愤怒地喊道：“不，我错了，我通过可耻的诡计害了一个高贵的人！我不能让这种罪恶的勾当发生，在你把我杀死之前，你不能把这个人带到特洛伊去!”两个人都拔出宝剑，但菲罗克忒忒斯扑倒在阿喀琉斯儿子的脚下，恳求他说：“如果你答应救我，那我的朋友赫拉克勒斯的神箭将保护你的国家不受任何侵犯!”——“跟我走，”涅俄普托勒摩斯说，并从地上扶起老英雄，“我们今天就回我的故乡佛提亚。”

这时蔚蓝色的天空在英雄们的头上变得阴暗起来。他们都向上望去，而菲罗克忒忒斯第一个看到了他的朋友——已经列身神界的赫拉克勒斯，他站在阴云中间。

“不要走!”赫拉克勒斯从天上用响亮的神的声音喊道，“菲罗克忒忒斯，听我亲口说出宙斯的决定并服从它！你知道，我是付出了多么艰苦的努力才列身神界，你也得接受命运的安排，经历苦难才能得到赞颂。当你同这个年轻人出现在特洛伊城前之时，你就能解脱伤痛之苦。众神选中了你去杀死这场灾难的制造者帕里斯并毁灭特洛伊。你将得到最贵重的战利品，满载宝物回去见你还活着的父亲波阿斯。如果你还有剩余的战利品的话，那就用来献祭给我的坟墓。再见吧!”菲罗克忒忒斯朝正消逝而去的朋友向上伸出双臂。“好吧，”他喊道，“上船，英雄们！阿喀琉斯高贵的儿子，把你的手给我，而你，奥德修斯，永远与我同行，你所要的正是神祇所要的!”

帕里斯之死

当希腊人看见载有菲罗克忒忒斯和两位英雄的那艘船驶入赫勒斯蓬托斯海港时，他们成群结队地欢呼着奔向海滨，他们一直在盼望它的归来。菲罗克忒忒斯伸出瘦弱的双手。他的陪同者把他抬到岸边，进入欢迎他的希腊人中间，他们看到他那样子后都非常感伤。这时从人群中跳出来一位英雄，他做出许诺，借助众神的帮助，一定会很快把他治好。希腊人一听到这位英雄的诺言就大声欢呼起来。此人是医生波达利里俄斯，他是波阿斯的老朋友。就在希腊人洗净菲罗克忒忒斯的身体并涂上油膏期间，医生很快就拿来了必要的药品，随后向众神祈福。于是灼人的痛苦从他的四肢中消失，所有的折磨都在他的灵魂中逝去。当看到他恢复了健康时，希腊人都非常惊奇。此后菲罗克忒忒斯饱餐畅饮，众人随之领他安歇就寝。

翌日特洛伊人在城外安葬他们的死者，这时他们看到希腊人又前来挑战。很快双方又展开了一场血战。涅俄普托勒摩斯用他父亲的长枪一连杀死了十二个特洛伊人，勇敢的埃涅阿斯的战友欧律墨涅斯和埃涅阿斯则冲进希腊军队之中，撕开了几个裂口。帕里斯杀死了墨涅拉俄斯的朋友——来自斯巴达的得摩勒翁。

这期间，菲罗克忒忒斯在特洛伊人中间横冲直撞，像所向无敌的战神本人一样。每当一个敌人从远处看到他时，就必死无疑。他所披挂的那套赫拉克勒斯的漂亮铠甲使特洛伊人恐惧，就像他胸甲上的复仇女神戈耳工的头颅一样令人生畏。到最后帕里斯勇敢地挥舞起弓箭，不顾危险地向他冲了过来。他很快射出了一箭，但箭从菲罗克忒忒斯身边掠过，并射中了他身边的克勒俄多洛斯的肩膀。克勒俄多洛斯后退了几步，帕里斯的第二支箭却置他于死地。现在菲罗克忒忒斯抓起他的弓并用雷霆般的声音朝他喊道："你这特洛伊的盗贼，我们灾难的制造者，你得为此付出代价，同我进行较量，你的末日到了。只要你死了，你的家和你的城市很快就会毁灭！"说罢他向帕里斯射出一箭，可只擦伤了他的漂亮皮肤。帕里斯又张开了弓，可菲罗克忒忒斯的第二支箭却射入他的侧腹。帕里斯无法再坚持战斗了，他像狮子面前的一条狗似的逃跑了，浑身抖个不停（运用比喻的修辞，生动形象地写出了帕里斯逃跑时狼狈的样子）。

血腥的战斗又持续了一会儿，这期间医生们在为帕里斯医治创伤。夜幕降临了，特洛伊人返回城内，希腊人退回船营。帕里斯痛苦得彻夜难眠。箭镞直透入骨髓，赫拉克勒斯箭上涂的毒液使伤口完全溃烂变黑。虽然医生们用了各种方法，但毫不见效。这时帕里斯想起了一个神谕：在他最危急的时刻，只有被他遗弃的妻子俄诺涅才能救他。当他还是伊得山上的一个牧人时，曾与她度过了一段美好的时光。当时，他就是从他妻子口中听到这个神谕的。

帕里斯让人把自己抬到伊得山去，他虽然不情愿，但为创伤的痛苦所逼，只得如此。到了他妻子的住处后，他立刻扑倒在遭他鄙弃的妻子脚下并喊道："尊贵的女人，哦，现在不要在我痛苦的时刻恨我，因为从前我不是自愿地离弃你的，是残酷无情的命运女神把海伦带到我的面前。现在以众神和我们早年的爱情为证，请你同情我；把药敷在我的伤口上，将我从这折磨人的痛苦之中解脱出来，你曾经预言过，只有你才能救我！"

但他的这番话并没有软化这个被他遗弃的女人的心肠。"你到你遗弃的并使之悲痛愁苦的女人这儿来做什么？"她斥责说，"你在青春貌美的海伦那里过得多么称心如意、愉悦欢欣呀！走吧，扑倒在她的脚下，看她能不能救助你。你的眼泪和你的悲痛不要指望我的灵魂会对你有什么同情！"她就这样把他从自己的房子里打发走，而没有想到，她本人的命运与她丈夫的是休戚相关的。帕里斯拖动着身子，由他的仆人搀扶和抬着，悲哀地穿过草木葱茏的伊得山，赫拉从奥林匹斯俯视这一情景时高兴极了。帕里斯还没有到达山麓（山脚），就毒发身死，在伊得山上咽下了最后一口气，他的妻子海伦再也看不到他了。

一种意想不到的悔恨攫住了俄诺涅的灵魂，她现在忆起了她与帕里斯在爱情中度过的青春时光。她的心扉敞开了，泪水喷涌而出，终于她站了起来，匆忙地打开房门，像一阵疾风一样冲了出来。她跃过崖石，穿过山涧和溪流，疾行在深夜里（一系列的动作描写，表现了俄诺涅在丈夫死后悲痛欲绝、万分悔恨的心情）。月亮女神塞勒涅怜悯地从蓝色的夜空中俯视着她。她终于来到了火葬她丈夫的地方，她丈夫的尸体在木柴上燃烧，四周围着一些山上的牧人，他们向朋友和国王的儿子表示最后的敬意。当俄诺涅看到丈夫的尸体时，剧烈的痛苦使她变得不知所措。她用衣服蒙住她美丽的面孔，一下子就跃上火葬堆；在四周的人救她之前，她与丈夫的尸体已被大火吞噬，他们只能为之悲叹了。

木马计

希腊人攻城夺门之战久久不能获胜，从各个方向登城的尝试都归于失败。这时一个神谕告诉他们，特洛伊的命运取决于存放在特洛伊城内神庙里的一个雅典娜女神的神像。于是奥德修斯和狄俄墨得斯立即决定前去盗取。两位英雄化装成可怜的乞丐进入敌人的城市，并在寂静的夜里偷偷潜入存放神像的神庙。天刚一破晓，这两个大胆的人就已经带着他们的战利品回到军营了。可即使如此，对特洛伊城的攻击仍被守城的人击退。预言家卡尔卡斯于是召开了一次英雄大会，他对他们说道：“你们别再花费力气去进行战斗了，用这种方法是不会成功的。你们最好是想出一个计策，来使你们达到目的。听我说，我昨天看到了一个迹象：一只老鹰追逐一只鸽子，可鸽子躲进一个崖石的石缝中间逃避捕杀。老鹰长时间恼火地守候在石缝前面，可那只鸽子就是不出来。这时老鹰藏到近处的草丛中间，鸽子就愚蠢地又钻了出来，老鹰扑向这个可怜的小家伙，毫不留情地把它攫住。”

这番话给英雄们留下很深的印象，可他们尽管殚思竭虑，还是想不出任何一个能结束这场战争的方法。这时奥德修斯想出来一个计策。“朋友们，让我们造一个巨大的木马，”他喊道，“我们的最勇敢的英雄藏到它那空空的肚子里。其余的人在这期间乘船撤到忒涅多斯岛去，此前把所有留在军营中的东西都烧掉，这样特洛伊人从城墙上看到这种情形就会毫不戒备地来到这里。在我们中间要有一个特洛伊人不认识的勇敢的人，他留在木马外边，走向他们，说自己是一个逃跑者，并告诉他们，希腊人为了返乡要把他杀死来祭神，可他摆脱掉了希腊人的这种罪恶的行径。这木马是献给特洛伊人的敌人雅典娜女神的，他就是藏在木马下面，直到他的敌人动身之后才爬了出来。他必须说得真实可信，不断地重复，直到特洛伊人消除了对他的怀疑并把他当作是一个值得同情的外乡人带进城里才行。到了那儿他要想方设法地让特洛伊人把这个木马弄进城内。当我们的敌人无忧无虑地进入梦乡时，他要给我们一个约好的暗号，我们就从木马腹中出来，并燃起火把向在忒涅多斯岛的朋友发出信号，用火和剑把这座城夷为平地。”

当奥德修斯说完时，大家都称赞他那奇思妙想的才智，预言家卡尔卡斯尤为赞扬他，并让人们注意听宙斯从天上传下来表示赞同的雷声。希腊人催逼明天就开始进行这项工作。随后所有人都相继返回舰船并躺下睡觉。

午夜时分，雅典娜托梦给希腊英雄厄珀俄斯，吩咐这个心灵手巧的人去建造这个硕大无朋（形容无比的大。朋，伦比）的木马，并答应帮助他尽快完工。

翌日清晨人们立即动工，在雅典娜的帮助下，三天就完成了。全军都为这位艺术家的杰作而惊叹，他把这个木马造得如此惟妙惟肖。厄珀俄斯向上苍举起双手并祷告说："伟大的雅典娜，请保佑你的木马，请保佑我，崇高的女神！"所有希腊人也一同为之祈祷。

这期间特洛伊人在最近一次战斗之后就畏缩地躲在城墙后面。现在特洛伊人的厄运即将来临，这时在众神之间爆发了纷争。他们分成了两派，一派袒护希腊人，另一派则厌恶他们。他们下临人间，来到斯卡曼德洛斯河旁列成阵式，相峙而立；只是凡人看不见他们。就连海洋诸神也分别站到这一边或那一边。海中神女们都站在希腊人一方，因为她们是阿喀琉斯的亲戚；另外一些海神则站在特洛伊人一方，他们掀起狂涛巨浪把舰船推向陆地，撞击那个阴险的木马。这期间在高一级的神祇中间战斗已经开始，阿瑞斯冲向雅典娜。这成了一场混战的信号，神祇们捉对厮杀起来。黄金铠甲叮当作响，海浪呼啸。大地在众神脚下颤抖，他们的战斗呼喊声汇集一起，直达冥界，使塔耳塔洛斯的提坦巨人们也为之战栗。刚刚远行归来的宙斯一看到这种情景，就向正在战斗的众神之间抛出一道闪电，使他们恐惧地停下战斗。若是他们不听从，宙斯就要把他们全部毁灭。众神由于害怕失去永生就都退出了战场。

这期间希腊军营中的木马已经完工，奥德修斯在英雄大会上站起来发言。"希腊人的领袖们，"他说，"现在是证明谁是真正勇敢和强大的人的时候了，因为在木马腹中面对的是一个黑暗的未来！相信我吧，爬进去，藏身在里面，这比在面对面的战场上战死需要更多的勇气！因此，谁认为自己是最勇敢的，那他就站出来参加这项冒险行动。其余的人可以乘船去忒涅多斯岛！但要有一个无畏的年轻人留在木马附近并按照我所说的去做。谁愿意接受这项任务？”

英雄们都犹豫不决。这时一个名叫西农的勇敢的希腊人站了出来，他说：“我请求去做这件必须完成的事情！即使特洛伊人折磨我！即使他们把我活生生抛进火堆里！我已下定了决心（四个连续的感叹句，表现了西农勇敢的品质和坚定的决心）！”人们向他发出欢呼声，涅斯托耳站起来激励希腊人，他说：“现在，亲爱的孩子们，鼓起勇气，现在神祇正把这十年艰苦征战的终点交到我们手中，为此迅速地进入木马的腹中去吧。”

老人这样喊了起来，并要第一个跨入侧门进到木马的肚子里。但阿喀琉斯的儿子涅俄普托勒摩斯请求他把这个荣誉让给他这个年轻人，而让涅斯托耳领导其余的希腊人到忒涅多斯岛去。涅俄普托勒摩斯费了好大力气才说服了涅斯托耳，于是这个年轻人全副武装地第一个进入宽大的空洞。随他之后是墨涅拉俄斯、狄俄墨得斯、斯忒涅罗斯和奥德修斯，然后是菲罗克忒忒斯、小埃阿斯、伊多墨纽斯、墨里俄涅斯、波达利里俄斯、欧律玛科斯、安提玛科斯、阿革珀诺耳以及其他英雄，最后进入马腹的是建造者厄珀俄斯本人。随后他把梯子抽了上去，从里面把门关紧，插上门闩，马腹中其他人都一声不响，在黑夜里他们坐在那儿，等待着胜利或者死亡。

其余的希腊人把他们的帐篷和用具付之一炬（给它一把火，指全部烧毁），随后由阿伽门农和涅斯托耳率领，乘船前往忒涅多斯岛。在岛前他们抛锚上岸，盼望看到发出的火把信号。

特洛伊人不久就发现在赫勒斯蓬托斯海岸烟雾冲天，当他们从城墙上仔细地朝海滨观察时，希腊人的舰船都不见了。他们成群结队、兴高采烈地向岸边奔去，但并没有忘记全副武装，因为他们依然心存恐惧。他们在原是敌人军营的地方看到木马时，都吃惊地环立周围，因为这是一个硕大无朋的杰作。

就在他们争论怎样处置这个奇妙的玩意儿时，特洛伊阿波罗神庙的祭司拉奥孔急速地跑进这群好奇的人中间，喊道："不幸的同胞们，是什么样的疯狂念头在捉弄你们呀？难道你们认为希腊人真的乘船而去，或者希腊人留下的这个东西不是一种诡计吗？你们就这样看奥德修斯？如果在这个木马里不是隐藏有某种危险，那它就一定是一个作战机器，埋伏在附近的敌人会用它来进攻我们的城市！不管怎么样，不要相信它！"说着他就从站在他身边的一个人手里夺下一柄铁制长矛深深地刺入马腹之中。长矛在马腹中颤个不停，从深处发出回响，像是出自空洞的地窖似的。但是特洛伊人已心智壅塞（yōngsè，堵塞不通），变得懵懂迷惘。

就在发生这件事期间，有几个牧人好奇地走近木马进行仔细观察，他们从木马肚子下面拖出来狡狯的西农，要把他当作一个希腊俘虏交给普里阿摩斯国王。这时一直环立在木马四周的特洛伊人集聚起来看这个新的场面。西农很好地扮演着奥德修斯教他扮演的角色。他向上苍祈求地伸出双臂，啜泣着喊道："痛苦啊，我该信赖的陆地，我该信赖的海洋在哪儿？我被希腊人放逐，并且即将被特洛伊人杀死！"站在他四周的人被他的哭诉感动，他们走到他跟前问他是什么人，来自何处。

西农终于不害怕了，他说："我是一个希腊人！也许你们听到过欧玻亚的帕拉墨得斯国王吧？由于奥德修斯的促使，希腊人用石头把他打死，因为他要退出攻打你们城市的战争。我是他的一个亲戚，参加了这场战争，在他死后我无依无靠。因为我敢于声言向谋害我表兄的敌人复仇，虚伪的奥德修斯迁怒于我，在整个战争期间一直不停地对我进行迫害。到最后他同那个骗人的预言家卡尔卡斯商量好，要置我于死地。我的希腊同胞经常做出逃回希腊的决定，却一再地推迟行期。当他们终于实施并在这儿建造这个木马时，他们派欧律皮罗斯去求阿波罗的一个神谕，因为他们在天上看到了一个不祥的征兆。欧律皮罗斯从神庙带回的是一个可悲的回答：'你们在出征时曾用一个处女的鲜血献祭给愤怒的狂风以求得宽恕，现在你们返归时也必须用血来祈求平安，必须牺牲一个希腊人。'当希腊人听到这个神谕时，他们惊得毛骨悚然。这时奥德修斯吵吵嚷嚷地把预言家卡尔卡斯拽进会场，请他说明神的意志。这个骗子沉默了五天时间，虚伪地拒绝挑选一个希腊人去死，可到最后他念到了我的名字。大家都一致同意，因为每个人都庆幸自己能躲过死亡。可怕的一天到了：我被装饰成献祭的牺牲，头上缠起一条神圣的彩带，神坛和被碾碎的谷粒都准备停当。可这时我扯断绳索逃跑了，并在附近沼泽地里的芦苇荡中躲了起来，直到他们乘船离去。我爬了出来并在他们这个神圣的木马的肚子下面找到了安身之处。我无法回到我的祖国，无法见到我的同胞。我在你们的国家里，你们可以宽宏大量地让我生，或者如我的同乡那样要我死，这都取决于你们。”

特洛伊人听了十分感动。普里阿摩斯用好言安慰了这个骗子，叫他忘记可恨的希腊人，若是他能说清楚这个木马的用途的话，就答应给他在城里安排个住处。这时西农举手向天假意祈祷，他说：“我敬奉的众神啊，你们为我做证，迄今把我和我的同胞连在一起的纽带已经扯断，如果我现在揭穿他们的秘密，那我绝不是在犯罪！在这场战争中希腊人把全部希望都寄托在雅典娜的帮助上面。但自从狡猾的希腊人从特洛伊城中偷走了她的圣像之后，一切就走上了下坡路。女神发怒了，幸运远离了希腊人。这时预言家卡尔卡斯解释说，必须立即乘船返乡，回国去接受神祇的新的指示。在雅典娜神像被放回原处之前，他们的这场征战不会有好的结局。这番话打动了希腊人，他们决定逃跑，并也确实付诸实施了。可此前他们根据他们的预言家的劝告建造了这个巨大的木马，留下来作为对受到侮慢的女神的祭品，以缓解她的愤怒。卡尔卡斯让人把木马建得高高的，这样你们特洛伊人就不能通过城门把它运到城里去，他用这样的方法使你们得不到雅典娜的庇护。”

西农巧舌如簧（舌头灵巧得就像乐器里的簧片一样，形容能说会道，善于狡辩），说得那么合情合理，使普里阿摩斯和所有特洛伊人都对这个骗子深信不疑。雅典娜却关注她那些在木马中的朋友的命运。自从拉奥孔提出警告之后，他们坐在里面一直忐忑不安，死亡的恐惧总是在眼前飘忽不定。

由于一个可怕的奇迹，英雄们从这种危险中解脱出来。那个阿波罗神庙中的祭司拉奥孔在海滨正向众神献祭一只牡牛时，从忒涅多斯岛方向有两条巨大的毒蛇穿过明镜般的海面，向岸上游来。它们的腹部和血红的头从水面昂起，蛇身的其余部分在海水下面蜿蜒游动，激起的水花噼啪作响。当游到岸上时，它们吞吐着舌头，发出咝咝的叫声并用火一样的眼睛环视四周。它们把一直围在木马四周的特洛伊人吓得面无血色，纷纷夺路逃跑，这两条怪物却直奔岸边海神的神坛，拉奥孔和他两个年轻的儿子正在忙于祭祀。两条毒蛇先是缠住了两个孩子的身体，用毒牙咬他们的细皮嫩肉。两个孩子大声呼救，当父亲抽出宝剑要去救助时，两条毒蛇也把他缠住，在他身上绕了两圈，随即在他的头上昂起蛇头，挺起蛇颈。他试图挣脱蛇的缠绕，但没有丝毫作用。拉奥孔和他的两个孩子被蛇咬死了，它们蠕动着爬行到高高的雅典娜神庙中，藏在女神的脚下和盾牌的后面。

特洛伊人把这一可怖的事件看作是祭司对木马所表示的亵渎性怀疑而得到的惩罚。一部分人跑回城市，把城墙拆毁，以便为这个不祥的来客打开一条通道，另一部分人则给木马脚下装上轮子，还有一些人用粗大的绳子拴住木马的脖颈。随后他们成功地把它拖进他们神圣的城堡。

在这种狂热和欢呼中，只有女预言家——特洛伊国王的聪明女儿卡珊德拉保持清醒，可不幸的是她得不到信任。她从天上和大自然中观察到了不祥的征兆，为预见到的危险所驱使，她披头散发地冲出王宫。

“可怜的人们，”她喊道，“难道你们没有看到，我们正在走向地狱之路吗？没有看见我们正站在死亡的边缘上吗？我看到了城市里充满烈火和鲜血，我看到了死亡从木马的肚子里涌出，而这木马正是你们欢呼着把它拽进我们的城堡里来的。即使我说上一千遍，你们也不相信我。你们已把自己奉献给复仇女神了，她们正为海伦的罪恶婚姻向你们复仇。”

真的，这个女预言家得到的只是讥笑和嘲弄，没有人认真看待她的话。

特洛伊城的毁灭

特洛伊人在夜里一通狂欢，畅饮豪啖（dàn，吃或给人吃）。午夜时他们终于酣然入睡。假装睡觉的西农从床榻上起身，偷偷地潜出城外，他燃起一支火炬，按照约好的信号朝忒涅多斯岛方向摇晃。随后他爬到木马下面，轻轻地敲打马腹，像奥德修斯吩咐的那样。英雄们听到了声音，但所有的人都屏住呼吸，把头转向奥德修斯。他提醒他们走出时要小心，尽可能不发出声音。奥德修斯镇静如常，不急不躁，轻轻地拉开门闩，稍许探出头来，窥视四周，看是否有一个特洛伊人在守护。随后他挂下了一个梯子，走了出来。其他英雄随他鱼贯而下，心都紧张得怦怦跳动。他们手执宝剑和长枪冲入城市的街道和房屋，在昏睡和醉酒的特洛伊人中间开始了一场可怕的屠杀。他们把火把掷进房中，不久房顶上燃起了熊熊的烈火。

“轻轻地”“稍许”“窥视”三个词语，表现了奥德修斯的小心翼翼、镇定平静。

在这同时，接到西农火炬信号的希腊舰队从忒涅多斯启程，借顺风之利很快就驶进赫勒斯蓬托斯海港，整个希腊军队随即斗志昂扬地穿过一天前为拖进木马而拆出来的缺口，涌入城内。现在这座被占领的城市已是尸横遍野，满目疮痍（眼睛看到的都是创伤，形容遭受战乱、灾祸严重破坏后的景象）。半死的人和伤残的人在死尸中间蠕动爬行，还能站立起来乞求活命的人不时就被长枪刺进后背倒地死去。狗的哀叫声与受伤的人的呻吟声，哀求的女人和无助的孩子们的哭喊声混成一片。

因为这场战争，曾经繁荣的城市变得千疮百孔，活着对特洛伊人来说已经成为奢望。

这场战斗使希腊人也付出了代价，因为尽管大多数敌人手无寸铁，但他们依旧拼命抵抗。一些人掷杯子，一些人扔桌子，还有一些人从通红的炉火中抓出正在燃烧的木头投向涌进的

希腊人。当希腊士兵最终冲进普里阿摩斯国王的宫殿时——有许多特洛伊人已逃进那里并武装了起来——他们中有很多人就死于那些进行绝望挣扎的敌人手中。

没有人会在战争中成为真正的赢家。

深夜时整个城市被蔓延开来的大火和希腊人的火把映得如同白昼，在战斗中再也不用担心分不清敌友了。

狄俄墨得斯杀得性起，像一个疯子，罗克里斯国王的儿子小埃阿斯和伊多墨纽斯同样如此。谁挡住他们的路，谁就必死无疑。

涅俄普托勒摩斯寻找普里阿摩斯的儿子，杀死了三个，又杀死了曾敢于同他父亲阿喀琉斯进行较量的阿革诺耳。到最后他冲到可敬的普里阿摩斯国王的面前，国王正在露天的宙斯神坛前祈祷。涅俄普托勒摩斯迫不及待地拔出宝剑，普里阿摩斯毫不畏惧地直视他。“杀死我吧，勇敢的阿喀琉斯的儿子!”他喊道，“在我不得不忍受如此多的灾难和看到我几乎所有的儿子死去之后，我怎么能再活下去?”

语言描写，直接表现出年迈的普里阿摩斯失去众多儿子后内心的悲痛。

“老人，”涅俄普托勒摩斯回答说，“你提醒我的正是我自己的心催促我做的!”随即他用剑砍下这个年迈国王的脑袋。

希腊军队中那些普通的战士干得更为残忍：他们在国王儿子赫克托耳的宫里，从孩子母亲的怀里扯出赫克托耳的儿子阿斯堤阿那克斯，出于对赫克托耳和他的家族的仇恨，他们把孩

无辜的孩子惨遭杀害，更加突出了战争的残酷性。

子从塔楼的雉堞上摔了下来。孩子的母亲绝望地朝杀人犯喊道："你们为什么不把我也从可怕的高墙上摔死或投入烈火之中？自从阿喀琉斯杀死了我的丈夫之后，我活着只是为了我们的孩子。把我也从这漫长的痛苦中解脱出来吧！"但凶手们并不听她的，而是把她捆了起来，带她离去。

伟大的英雄埃涅阿斯一直在城墙上毫不气馁地进行战斗。现在他看到城市在燃烧，抵抗已经毫无意义，自己就像在暴风雨中驾驶一艘船的水手，虽然经过了长时间的搏斗但最终不得不把它放弃，只能跳上一只小船，自己救自己了。他背起白发苍苍的父亲安喀塞斯，牵着儿子阿斯卡尼俄斯的手逃命而去。在他母亲阿佛洛狄忒的庇护下，他的双脚所到之处，火焰为之退让，浓烟为之散去，而希腊人掷向他的投枪、射向他的箭镞纷纷落地。

就连伟大的英雄埃涅阿斯都无奈地放弃抵抗，可见特洛伊人的战败已成定局。

这期间墨涅拉俄斯在他那不忠诚的妻子海伦的后宫门前，发现了得伊福玻斯。在帕里斯死后，海伦就成了得伊福玻斯的妻子，晚宴后他还一直头昏脑涨。当他发现墨涅拉俄斯逼近时，就踉跄地夺路逃命，但墨涅拉俄斯追了上去，用长枪刺中他的脖颈，使他倒地死去。墨涅拉俄斯把尸体踢到一边，开始在宫中搜寻海伦。可海伦因害怕她从前丈夫的愤怒而颤抖地躲藏在房间的一个昏暗的角落，过了很久他才这场因海伦而起的战争使无数人丢失性命，墨涅拉俄斯却因为她的美貌轻易地原谅了她。这是多么讽刺啊！

墨涅拉俄斯虚伪、表里不一的行为，不禁让人嗤之以鼻。

找到她。受狂暴的妒忌驱使，他要用他的宝剑把她杀死；可爱神阿佛洛狄忒却使她更加美丽诱人，撞掉他手中的利剑，驱散他胸中的怒火，唤醒他心中的旧爱。一看到她那超凡的美貌，他就无法再度举起他的宝剑；他的力量崩溃了，这一瞥就使他忘记她所犯的过失。这时他听到身后的希腊人——他们正在王宫里烧杀抢掠——的叫喊，一种羞愧的情感涌上心头，因为他站在他不忠的女人面前不像是一个复仇者，而像是一个奴隶。于是他狠心地又举起宝剑，重新冲向他的妻子。可在心里他不愿这样做，幸好这时他的兄弟阿伽门农出现了，他突然站在他的身后，把手放在他的肩上，并对他喊道："放下剑，亲爱的墨涅拉俄斯兄弟！你不该杀死你合法的妻子，为了她我们忍受了多少痛苦呀！比起可耻地破坏宾客礼仪的帕里斯，海伦的罪过轻多了。帕里斯和他的人民都受到了惩罚，被消灭了。"墨涅拉俄斯听从了他的话，虽然表面看起来不情愿，但心里十分高兴。

就在人世间发生这件事的时候，隐身在浓云中的众神为特洛伊的陷落而悲痛不已。只有特洛伊人的死敌赫拉、阿喀琉斯的母亲忒提斯快乐得欢呼起来。就连雅典娜，虽然特洛伊的毁灭符合她的意愿，可当她看到普里阿摩斯的女儿，她的祭司，虔诚的卡珊德拉的遭遇时，也不禁流下泪来：卡珊德拉逃进雅典娜神庙，抱着她的神像求救，可俄琉斯的狂暴儿子小埃阿斯用粗糙的双手抓住她并扯着她的头发把她拖走。雅典娜没有救助她的敌人的女儿，她的面颊却由于羞耻和愤怒而发烧。她的神像发出一种使神庙里的土地隆隆响动的声音。她转过目光，不再去看这种暴行，她心里却决定对这种罪恶进行报复。

烧杀抢掠持续了很长时间。从特洛伊升起的火柱直冲云天，它宣告了这座不幸城市的毁灭。

墨涅拉俄斯和海伦　波吕克塞娜

直到翌日清晨，城市的全部居民被杀或者被俘。希腊人再也遇不到抵抗，他们夺取了这座城市的无数的财宝，把无数的战利品——黄金、白银、宝石、各式各样的家具、妇女、少女和儿童都搬到他们的船上。在人群中间，墨涅拉俄斯领着他的妻子海伦离开了燃烧着的特洛伊，他虽然不无羞愧，可在心里为重新占有她而感到满意。走在他旁边的是他的兄弟阿伽门农和他从小埃阿斯手中救出来的卡珊德拉。阿喀琉斯的儿子涅俄普托勒摩斯带领的是赫克托耳的妻子安德洛玛刻，王后赫卡柏成了奥德修斯的俘虏。特洛伊的无数妇女——年轻的和年老的——跟在后面，走在最后的是少女和孩子，伴随她们的是一路的悲哭和啜泣。

只有海伦一声不响，因为深深的羞耻感使她哭不出声来。她那阴暗的两眼紧紧盯住地面，她的双颊泛起一片火辣辣的红晕。她的心在急剧跳动，一想到等待她的命运，她就禁不住恐惧地颤抖。但当她到了船上时，所有的希腊人都为她那风华绝代的姿色而惊叹，并暗自思忖，能一睹芳容，跟随墨涅拉俄斯前来特洛伊并经受十年的艰辛和磨难，是值得的。没有一个人想到加害于这个美丽的尤物，他们乐于墨涅拉俄斯友好地对待她。而墨涅拉俄斯的心经阿佛洛狄忒的安抚早就原谅了她。

舰船上一片欢腾，摆上了宴席，英雄们围坐在一起。一个弹琴的人坐在中间，吟唱他们伟大的英雄阿喀琉斯的丰功伟绩，欢宴直至深夜。

当海伦同她丈夫墨涅拉俄斯独自在一起时，她扑倒在他的脚下，抱着他的双膝，说道："我知道，你有理由用死来惩罚你不忠的妻子！但你想一想，高贵的夫君，我不是自愿地离开你的斯巴达王宫的啊！在你离家的时候，是那个骗子帕里斯用暴力把我带走的。现在我跪在你的脚下，我后悔，我恳求你的保护。你决定我的命运吧！"

墨涅拉俄斯把她从地上扶起，谅解地说道："不要老想过去的事情，海伦，你的害怕是多余的！已经发生的，就让我们忘记吧！"随之他把她拥到怀里，在她的嘴唇上印下宽恕的亲吻。

翌日清晨，希腊人迫不及待地冲出他们的营盘，渴望返乡。这时涅俄普托勒摩斯踏入聚集的人们中间，他说："听我说，希腊人，我不朽的父亲阿喀琉斯昨夜托梦给我，他要我通知你们：你们应当把特洛伊的战利品中最珍贵的和最好的献祭给他，使他的心从他仇恨的城市的灭亡中得到慰藉，并获得胜利者的奖赏。在你们对这位死者履行你们的义务之前，是不应该离开这个海滨的。特洛伊的陷落应归功于他，如果赫克托耳不被打败，你们永远不会取得今日的成功！"希腊人恭敬地决定遵从他们死去的英雄表达出的意愿。

但是问题出现了：人们该献祭什么？什么是特洛伊全部战利品中最珍贵的和最好的？每一个希腊人都把他们掠夺的珍宝和抓到的俘虏陈列出来。但所有这一切，无论是黄金、白银、宝石还是其他宝物，在国王普里阿摩斯的被俘女儿波吕克塞娜的花容月貌面前都黯然失色。当所有的目光都望向她，把她看作是特洛伊战利品中最珍贵的部分用来献给最伟大的英雄时，她毫无惧意。波吕克塞娜曾在城墙上有几次看到战斗中的阿喀琉斯这位伟大的英雄，尽管他是她的国家的敌人，可他那神一般的威武强壮的身躯已使她从内心产生爱慕之情。

希腊人在阿喀琉斯的墓碑前建造了祭坛，所有祭祀用具都已准备停当。这时国王的女儿从被俘的女人中间跳了出来，握住一把锋利的匕首，一言不发地刺进自己的心脏，随之倒地死去。从希腊人群中迸发出一声悲恸的喊叫。白发苍苍的王后赫卡柏哭喊着扑到女儿的尸体上，在被俘的特洛伊女人中又响起了一片哭声。涅俄普托勒摩斯充满同情地奔了过来，把死去的少女从祭坛上移开，并吩咐以王室的荣誉来安葬她。这时涅斯托耳在人群中站了起来，他欢快地说道："可爱的同胞们，返乡的时刻终于临近了。动身吧，让我们启程，扬帆入海！"

从特洛伊启程　小埃阿斯之死

在欢呼声中舰船都已做好准备，所有的财宝都被运到甲板上，俘虏们都被带到船上，随后是希腊人登上船。解缆起锚，不久无数舰船驶入了自由的大海。

船头上到处堆放着被杀死的敌人的武器，桅杆上挂满了无数的胜利纪念品，就连舰船本身也都饰上花环；胜利者给他们的盾牌、长枪和头盔都结上花冠（希腊人胜利的欢欣与上文中被俘的特洛伊女人的哭声形成鲜明的对比，突出了战争的残酷）。他们站在前甲板上，向大洋祭酒，热情地向众神祈祷，保佑他们顺利返乡。但他们的祈求毫无意义，在它传达到奥林匹斯圣山之前，疾风已把它从舰船旁吹得远远的，消散在空中，了无踪迹。

这期间被俘的特洛伊妇女和少女悲哀地回望仍烟火弥漫的特洛伊城，偷偷地哽咽，用泪水来减轻憋在心中的痛苦。少女们在怀中交叉起双手，少妇们抱着她们的孩子。卡珊德拉站在另一群俘虏中间，她高贵的身躯突出所有人之上。但她的眼中没有泪水。她嘲笑她周围发出的哭声，现在发生的正是她所预言的，而这预言正是遭到了这群悲惨的人的讥讽和嘲弄。

若不是雅典娜因小埃阿斯的渎神行为而恼火的话，胜利者真的会顺利地抵达希腊的海岸。现在当他们到达欧玻亚的多风暴的海岸时，女神想到了去为小埃阿斯安排一个悲惨的、无情的结局。她向奥林匹斯的众神之父控告了他在自己的神庙里对她的祭司卡珊德拉犯下的罪行，并渴求对这个罪犯进行复仇。尘世正义的主宰者宙斯不仅满足她的愿望，他还把最新用铁铸成的雷斧借给她用，并允许他的女儿给希腊人准备一场毁灭性的风暴。

雅典娜很快披上铠甲，拿起闪闪发亮的神盾，盾牌的中间是披着火红的蛇发的戈耳工脑袋；她抓起放在她脚下的她父亲的神箭。随后她让奥林匹斯山在雷电中震动，使群山罩上乌云，使大海混沌一片，使陆地陷入黑暗（混沌黑暗的环境描写，渲染了凄凉悲伤的氛围）。紧接着她派使者伊里斯女神去召唤风神埃俄罗斯。雅典娜的使者看到了风神和他的妻子及十二个孩子。风神听从命令，立即行动起来。他用强壮的双手举起巨大的三股神叉，捅进各种狂风住在里面的大山，用力扯掉山顶。各种狂风像猎狗一样立即涌了出来，他命令他们立刻汇合成一股遮天蔽日的飓风，刮向卡法尔崖石下面的海浪，崖石的四周就是欧玻亚海岸。

他们还没有完全听清他的话就已经动身了。大海在他们下面呻吟，海浪像山一样翻腾。希腊人看到海的波涛疯狂地向他们涌来时，已吓得失魂落魄（形容心神不定非常惊慌的样子）。不久就没有人敢去划桨了。船帆被风暴扯成碎片，到最后舵手也一筹莫展。黑夜降临，得救的希望也随之破灭了。雅典娜毫不留情地向希腊舰船掷去火红的闪电，伴随而至的是接二连三的响雷。到最后她把最尖利的雷斧劈进小埃阿斯的舰船。大地和空气响起了破裂声，波涛旋起了破碎的船片。人们成群地跃进海中，很快被海浪吞没。小埃阿斯力图活命，他攀上舰船的一块横梁，但闪电从四面八方袭来，就在他身边嗞嗞作响，直击入海水之中。可小埃阿斯依然没有失去勇气，他抓住从狂涛巨浪中露出的一块岩石，并夸口，即使奥林匹斯所有的神祇都来跟他作对，他也能救出自己。

大地的震撼者海神波塞冬听到这狂妄的大话极为恼怒。他狂暴地同时震动起大海和陆地。卡法尔的崖坡在颤抖，海岸在咆哮的海浪冲击下发出雷鸣声。到最后小埃阿斯用双手紧紧抓住的岩石也从根上被震翻，它连同小埃阿斯都被甩进海中。波塞冬还向他投去一座被扯掉的山丘，于是小埃阿斯失败了，被大海和陆地征服。

这期间希腊人的舰船在海上四处漂流。许多已经破碎，还有许多已被海浪吞没。大海继续咆哮，大雨依旧滂沱（形容雨下得很大），就像第二次丢卡利翁时代的洪水一样。

这同时特洛伊城外的大海按照愤怒的波塞冬的命令淹没了海滨，冲毁了希腊人在他们船营旁和在被包围的城市前建造的所有围墙和堡垒。于是这场巨大的战争除了特洛伊的废墟和几艘载有返乡的英雄和被俘的特洛伊妇女的船之外，什么也没有留下。风暴使这些返乡的英雄四处漂流，费尽千辛万苦才重又抵达希腊海岸，而他们中只有少数的胜利者才得到了真正的幸福。

成长启示

富兰克林曾说："从来就不存在好的战争，也不存在坏的和平。"纷飞的战火和弥漫的硝烟使山河破碎、亲人离散，使千万张灿烂的笑脸蒙上厚厚的尘埃。战争总是伴随着流血和牺牲，虽然战争的结果有胜有败，但没有人是真正的赢家。在这个世界上，还有一些国家的人们饱受着战争的困扰。我们在珍惜自己幸福美好生活的同时，也要呼吁和平，让和平这温暖的阳光能照耀到世界上更多的地方。

要点思考

1. 为了赢得与特洛伊人长达数年的战争，奥德修斯想出了什么办法？

2. 奥德修斯和涅俄普托勒摩斯用了什么办法，取得了菲罗克忒忒斯百发百中的神箭？

写作积累

●置身事外　见多识广　不偏不倚　足智多谋　垂头丧气
汗马功劳　宽宏大量　百发百中　渺无人迹　成群结队
休戚相关　心灵手巧　硕大无朋　毛骨悚然　巧舌如簧
忐忑不安　披头散发　斗志昂扬　满目疮痍　头昏脑涨
风华绝代　丰功伟绩　花容月貌　了无踪迹　遮天蔽日

延伸阅读

★本书名言记忆

◆我们宁愿在和平和安宁中生活，也不要进行战争冒险，并最终丧失自由。

——第一卷　海伦的被劫

◆母亲的义务使任何骄傲都变得软弱无力！

——第一卷　阿伽门农和伊菲革涅亚

◆凡事深思熟虑，都是为了赢得赞扬而不是遭到唾骂。

——第二卷　波吕多洛斯

◆残忍的人胸中没有温情。

——第三卷　希腊人的使者去见阿喀琉斯

◆忘记过去吧，尽管它使我们的心灵受到了伤害。

——第四卷　阿喀琉斯与阿伽门农和解

◆不要为任何甜言蜜语所打动，不要为任何恐吓威胁而畏缩。

——第四卷　阿喀琉斯同河神斯卡曼德洛斯之战

◆只有拥有智慧的人才是真正强大的人。

——第五卷　大埃阿斯之死

◆在困难面前一个有智谋的人要比一个有一身蛮力的傻瓜宝贵得多。

——第五卷　大埃阿斯之死

◆生活不断地变化，时而引向巨大的悲哀，时而又变得欢快。因此世人们流传着这样的话：善者升向光明的天堂，恶人坠入黑暗的地狱。

——第五卷　玛卡翁和波达利里俄斯

相关名言链接

◇当人们终于懂得，笼罩荒原的不应该是战火而应该是暖棚，播撒沙漠的不应该是鲜血而应该是清泉，一切就走上正路了。

——余秋雨

◇人类的希望像是一颗永恒的星，乌云掩不住它的光芒。特别是在今天，和平不是一个理想，一个梦，它是万人的愿望。

——巴金

◇战争的形象，是流血、痛苦和死亡。

——托尔斯泰

◇我相信这句话是不朽的真理，由剑得到的亦将因剑而失去。

——甘地

◇不为战争和毁灭效劳，而为和平与谅解服务。

——海塞

◇人类的智慧就是快乐的源泉。

——薄伽丘

◇坚定不移的智慧是最宝贵的东西，胜过其余的一切。

——德谟克利特

◇智慧、勤劳和天才，高于显贵和富有。

——贝多芬

作者名片

施瓦布（1792—1850），德国浪漫主义诗人、文学家。他生于斯图加特的符腾堡宫廷官员家庭，曾担任编辑、牧师、教师等职，曾是席勒的老师。1809 年至 1814 年，他在图宾根大学神学院就读，结识了乌兰德等文学家。1815 年，在德国北部地区考察旅行期间，他结识了歌德、霍夫曼等人。他致力于发掘和整理古代文化遗产，曾出版《美好的故事和传说集》《德国民间话本》和《希腊神话故事》。此外，他还著有诗集《博登湖上的骑士》《马尔巴赫的巨人》等。

在他的作品中，最著名的是这本反映古希腊神祇和英雄故事的《希腊神话故事》，它为读者打开了一扇观察、认识古希腊乃至欧洲文化的窗口，是人类文化宝库中一笔宝贵的精神财富。

人物名片

◎阿喀琉斯

人物简介：他是国王珀琉斯和海洋女神忒提斯的儿子，是一位半神英雄。在特洛伊战争中，他攻城略地，战绩卓著。为给好友报仇，他杀死了特洛伊王子赫克托耳，使希腊转败为胜。面对失去儿子的普里阿摩斯，即使他是敌人，阿喀琉斯也友善相待。

评价：骁勇善战、善解人意、重情重义。

◎阿伽门农

人物简介：他是密刻奈的国王，是斯巴达国王墨涅拉俄斯的哥哥。在海伦被劫后，他与弟弟一起走遍希腊，并带领同盟，作为最高统帅征讨特洛伊。因为得罪了女神阿耳忒弥斯，他只能将女儿作为祭品来献祭。当不得不交出自己的战利品时，他非要以其他人的战利品作为自己的补偿。

评价：勇猛、冷酷、自私。

◎赫克托耳

人物简介：他是普里阿摩斯的儿子，是特洛伊的主将、第一勇士。他不喜欢战争，却甘愿为了保卫家园、人民、亲人而献身。在与希腊英雄阿喀琉斯的决斗中，他死在对方手里。

评价：勇敢、正直、有责任感。

名家点评

·希腊的神话和史诗是发展得最完美的人类童年的产物，具

有永久的魅力。

——马克思

·希腊神话是人类童年时代的艺术，是希腊人由野蛮时代带入文明时代的丰要遗产。

——恩格斯

·一提到希腊这个名字，在有教养的欧洲人心中，尤其在我们德国人心中，自然会引起一种家园之感。

——黑格尔

·希腊神话是欧洲文化史上的一个最宏伟的成就，也便是欧洲文艺作品所最常取材的渊薮。不懂得希腊神话，简直没法儿去了解和欣赏西方的文艺。

——郑振铎

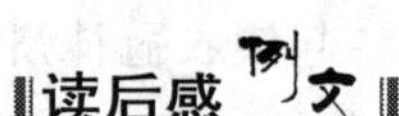

读《希腊神话故事》有感

最近我读了《希腊神话故事》这本书，了解了特洛伊战争的故事，也对战争有了更深刻的认识。

故事中，特洛伊战争的起因颇为荒唐。美貌冠绝希腊的海伦是斯巴达国王墨涅拉俄斯的妻子，在丈夫外出期间，她遇到了特洛伊王子帕里斯。帕里斯被海伦的美貌吸引，忘记了自己来到希腊的使命；海伦也倾心于帕里斯的魅力，忘记了躺在摇篮中的女儿。两个人就这样将故乡和国家抛在脑后，一起逃回了特洛伊。

墨涅拉俄斯得知这件事后，义愤填膺，带领希腊人前来攻打特洛伊，开始了这场毫无意义的战争。特洛伊战争整整持续了十年，无数家庭因为战争支离破碎，众多英雄在战火中失去生命，美丽的特洛伊城在战争的摧残下变成一片废墟。故事的最后，希腊人虽然战胜了特洛伊人，但是在返乡的途中，他们因为咆哮的大海和滂沱的大雨而四处漂流，只有极少数的人幸运地回到故乡。

自古至今，战争的烽火从未在历史的舞台上消散。人们发起战争，有的是为了疆土，有的是为了利益，有的是为了荣誉。但我认为，无论是出于何种目的的战争，都不值得提倡，因为战争势必会造成可怕的后果：多少人离开安居乐业的家乡，成为无家可归的流浪者；多少土地失去鲜花盛开的资格，成为尸横遍野的坟茔；多少文化设施惨遭破坏，成为战争的祭奠品……正如《道德经》中所描述的那样：“师之所处，荆棘生焉。大军过后，必有凶年。”

从“秦时明月汉时关，万里长征人未还”到“起望衣冠神州路，白日销残战骨”，从“烽火连三月，家书抵万金”到“满衣血泪与尘埃，乱后还乡亦可哀”，太多人饱受战乱之苦。我很庆幸自己生活在一个崇尚和平的国家，与此同时，我也知道世界上还有一些地方弥漫着硝烟。远离战争，让读书声、欢笑声代替枪炮声和爆炸声，我想，这是爱好和平的人们的共同心愿。

知识考点

一、填空题

1.《希腊神话故事》的作者是德国文学家__________。

2. 奥林匹斯山上的三位女神_______、_______、_______选中帕里斯做裁判，让他来裁定她们中谁是最美的。

3. 趁斯巴达国王墨涅拉俄斯不在的时候，帕里斯带走了美丽的王后_______。

4. 墨涅拉俄斯和阿伽门农号召整个希腊参加征讨特洛伊的战争，其他君主都响应了，最后只有_______和_______迟疑不决。

5. 在希腊人与特洛伊人的战争中，雅典娜支持_______，阿佛洛狄忒则站在_______这一边。

6. 奥德修斯嫉妒_______的聪明才干，于是用诡计害死了他。

7. 因为没有交出海伦，国王普里阿摩斯的儿子_________被用石块残忍地砸死。

8. 朋友_________的牺牲，让阿喀琉斯悲痛欲绝。

9. 一个被俘的预言家说，只有_________从他的朋友那里继承的神箭和_______的儿子皮洛斯，才能帮助希腊人攻占特洛伊城。

10. 帕里斯在被箭伤的痛苦折磨时想起了一个神谕：在他最危急的时刻，只有被他遗弃的妻子________才能救他。

二、选择题

1. 下列哪位是太阳神并且主管光明、青春、医药、畜牧、音乐和诗歌？（　　）

A. 赫拉　B. 宙斯　C. 阿波罗　D. 阿瑞斯

2. 古希腊神话中的智慧女神是（　　）。

A. 雅典娜　B. 赫拉　C. 维纳斯　D. 阿佛洛狄忒

3. 帕里斯将象征美丽的金苹果递给了（　　）。

A. 赫拉　B. 海伦　C. 阿佛洛狄忒　D. 雅典娜

4. 阿喀琉斯因中了神祇（　　）的箭而死去。

A. 阿瑞斯　B. 阿波罗　C. 宙斯　D. 阿佛洛狄忒

5. 足智多谋的（　　）想出了木马计，帮助希腊军队攻克了特洛伊城。

A. 阿喀琉斯　B. 奥德修斯

C. 阿伽门农　D. 墨涅拉俄斯

6. 特洛伊战争持续了（　　）年。

A. 八　B. 九　C. 十　D. 十一

7. 下列哪个词语不属于对赫克托耳的描述？（　）

A. 正直　B. 勇敢　C. 坚强　D. 懦弱

三、简答题

1. 在你心中，阿喀琉斯是一个怎样的人？

2. 你如何看待特洛伊战争的结局？

参考答案

一、填空题

1. 施瓦布
2. 赫拉　雅典娜　阿佛洛狄忒
3. 海伦
4. 奥德修斯　阿喀琉斯
5. 希腊人　特洛伊人
6. 帕拉墨得斯
7. 波吕多洛斯
8. 帕特洛克罗斯
9. 菲罗克忒忒斯　阿喀琉斯
10. 俄诺涅

二、选择题

1. C
2. A
3. C
4. B
5. B
6. C
7. D

三、简答题

1. 阿喀琉斯骁勇善战，所向披靡，常常令敌人闻风丧胆；他重情重义，忠于朋友，听到朋友阵亡的消息后，他不顾个人安危，愤而奔向战场为朋友复仇；他善良，富有同情心，敢于冒着被众将斥责的危险搭救素不相识的伊菲革涅亚，也会对白发苍苍的国王普里阿摩斯心生怜惜。同时，阿喀琉斯有残酷、凶狠的一面，他残忍地对待赫克托耳的尸体；他也任性、傲慢，为了女俘和统帅阿伽门农发生争执，并任性地退出战斗，造成了希腊军队的溃败。

2. 战争的最后，特洛伊人战败，特洛伊城满目疮痍；希腊人虽然取得了胜利，但是他们在返乡途中历尽艰辛，只有少数人得到了真正的幸福。可见战争对交战双方而言，都是异常残酷的。我们要尊重生命，维护和平，避免不必要的战争。

新课标必读名著·励志版

第一辑

001《童年》
002《西游记》
003《红楼梦》
004《水浒传》
005《昆虫记》
006《名人传》
007《稻草人》
008《格林童话》
009《伊索寓言》
010《城南旧事》
011《爱的教育》
012《三国演义》
013《骆驼祥子》
014《繁星·春水》
015《安徒生童话》
016《海底两万里》
017《鲁滨孙漂流记》
018《最后一头战象》
019《朝花夕拾·呐喊》
020《钢铁是怎样炼成的》
021《假如给我三天光明》
022《汤姆·索亚历险记》

第二辑

023《格列佛游记》
024《绿山墙的安妮》
025《雷锋的故事》
026《唐诗三百首》
027《成语故事》
028《弟子规》
029《三字经》
030《简·爱》
031《中国古代寓言故事》
032《中外民间故事》
033《中外神话传说》
034《中外历史故事》
035《绿野仙踪》
036《一千零一夜》
037《木偶奇遇记》
038《寄小读者》
039《小王子》
040《老人与海》
041《八十天环游地球》
042《小橘灯》
043《呼兰河传》
044《论语》
045《千字文》
046《克雷洛夫寓言》
047《小鹿斑比》
048《中外名人故事》
049《吹牛大王历险记》
050《中华上下五千年》
051《中华孝经》

第三辑

052《艾青诗选》
053《荒野的呼唤》
054《泰戈尔诗选》
055《宝葫芦的秘密》
056《小老鼠皮克历险记》
057《小学生必背古诗词 75 首》
058《小战马》
059《红脖子》
060《水孩子》

061《安妮日记》
062《培根随笔集》
063《列那狐的故事》
064《中学生必背古诗文 61 篇》
065《柳林风声》
066《人类的故事》
067《欧也妮・葛朗台》
068《小飞侠彼得・潘》
069《汤姆叔叔的小屋》
070《爱丽丝漫游仙境》
071《地心游记》
072《名人名言精读》
073《匹克威克外传》
074《纪伯伦散文诗集》
075《尼尔斯骑鹅旅行记》
076《外国名著导读一本全》
077《罗密欧与朱丽叶・威尼斯商人》
078《神秘岛》
079《森林报・春》
080《森林报・夏》
081《森林报・秋》
082《森林报・冬》
083《福尔摩斯探案集》
084《莫泊桑短篇小说精选》
085《四大名著知识点一本全》

第四辑

086《欧・亨利短篇小说精选》
087《杰克・伦敦短篇小说精选》
088《中国名著导读一本全》
089《细菌世界历险记》
090《爷爷的爷爷哪里来》
091《长腿叔叔》
092《海蒂》
093《朱自清散文精选》
094《海明威短篇小说精选》
095《契诃夫短篇小说精选》

第五辑

096《大林和小林》
097《父与子》
098《王子与贫儿》
099《哈克贝利・费恩历险记》
100《猎人笔记》
101《居里夫人自传》
102《格兰特船长的儿女》
103《秘密花园》
104《青鸟》
105《人类群星闪耀时》
106《寂静的春天》
107《西顿野生动物故事集》
108《飞向太空港》
109《镜花缘》
110《草原上的小木屋》
111《会飞的教室》
112《丛林故事》
113《小巴掌童话》
114《给青年的十二封信》
115《白洋淀纪事》
116《湘行散记》
117《梦天新集:星星离我们有多远》

第六辑

118《世说新语》
119《聊斋志异》
120《儒林外史》
121《我是猫》
122《了不起的盖茨比》
123《少年维特的烦恼》
124《神笔马良》
125《拉封丹寓言》
126《希腊神话故事》
127《山海经》
128《地球的故事》
129《十万个为什么》